近代朝鮮と日本

景 達
Cyo Kyeungdal

岩波新書
1397

まえがき

陰画と陽画

朝鮮半島と日本は、過去数千年にもわたって交流を培ってきた。そして、国家が誕生してからの歴史には、さまざまな起伏があった。平和な時期もあれば戦争の時期もあり、双方の人々には、憧憬や憎悪など複雑な感情が入り交じっている。近年の韓流現象には目を見張るものがあるが、他方で嫌韓流や北朝鮮バッシングなどの勢いも強い。朝鮮半島の日本観も、もはや憎悪だけではなく、憧憬はおろか対等認識なども芽生えているが、北朝鮮にせよ韓国にせよ、依然として複雑な思いからは脱しきれていないように思われる。

こうした相互間の愛憎は、いうまでもなく近代に入ってからの不幸な歴史にその多くが起因している。日本は朝鮮を侵略するのみならず、それを合理化、正当化するために朝鮮の歴史を停滞的、他律的と見る歴史観を流布させた。朝鮮は自力では近代化できず、放置しておけば、国さえ奪われかねないので、日本は助けてあげなければならない、という手前勝手な植民地史観である。しかも、古代において日本は朝鮮の一部を支配していたという歴史認識に立って、「日鮮同祖論」も盛んに喧伝された。韓国併合は侵略ではなく、隣人愛ならぬ「同祖」愛から出た一体化だというわけである。そこでは、合わせ鏡のように、朝鮮は日本の陰画とされ、朝鮮がそうであればあるほど、日本は陽画として光り輝いた。

戦後の朝鮮史学

戦後の朝鮮史学は、こうした歴史認識を克服することに、最大の課題を設定した。その結果、侵略に対する朝鮮民族の強靭な抵抗を描き出すという歴史観が、一九五〇年代から六〇年代の半ば頃まで隆盛した。しかし、依然として植民地史観を克服するには至らなかった。そこでその後、朝鮮は内在的に近代の方向に発展の道を歩んでいたが、日本によって阻害されたという、いわゆる内在的発展論が一世を風靡するようになった。

ところが、一九八〇年代以降、それへの懐疑が生まれた。内在的発展論は、それまでの支配―抵抗の歴史を取り込みつつ、近代的な発展の道を描こうとしたのだが、それはあまりに一国史的であると同時に、近代日本の民族主義・国家主義を指弾する一方で、朝鮮の民族主義を鼓吹するものであったからである。そこで提示されたのが、植民地近代化論である。この議論は、日本支配下での朝鮮の資本主義的な発展を論じようとする点に特徴がある。これは、日本の支配を合理化する一面をもっていたため、現在に至るまで、論争の種となっている。

これに対して今日盛んになっている議論は、植民地近代性論である。これは植民地近代化論のように、近代を是とするのではなく、近代を批判する立場からの議論である。日本の植民地支配によって、好むと好まざるとにかかわらず、朝鮮人は悪しき近代の価値を内面化させられたというのである。国民国家の相対化が叫ばれる昨今の歴史学の時宜にふさわしい近代批判の議論であるように見える。しかしこの議論は、近代を批判するといいつつ、その実は近代を絶対化してしまっている。人々はとてつもない浸透力をもつ近代にはとうてい抗えないものとして捉えられているのである。

一般に近代批判は、近代日本への批判にも通ずるのだが、両者を同時に行うことはなかなかに難しい。内在的発展論は、尖鋭な近代日本批判を展開したが、朝鮮と日本の同質性を前提としており、近代に向けての速度にさほどの違いはないとされた。だとすれば、論理的には、近代一般は必ずしも批判されるべきではないが、近代日本が批判されるべきなのは、朝鮮の内在的な近代化を阻害したからだということにしかならない。朝鮮近代史研究では近代の呪縛から逃れることは容易ではない。

政治文化への着目

では、近代を相対化しようとするなら、どのような歴史認識が必要になってくるのであろうか。歴史とは、実は多様な歩みをしている。必ずしも近代的方向には進もうとしない歴史の発展を見ていくことが、近代を相対化すると同時に、西欧近代の亜流の道を歩んだ近代日本を批判することにも連なっていくのではないであろうか。

そこで、私が着目したいのは、政治文化である。政治文化とは、政治や抗争が行われる際に、その内容や展開のあり方などを規定する、イデオロギー、伝統、観念、信仰、迷信、願望、慣行、行動規範（ルール）などの、政治過程に関わる一切の文化のことである。政治文化は、一般的には支配層と被支配層で共有される。共有されない場合には、国家や政府は安定性を欠き、危機的状況となる。たとえば、前近代社会において、王政が一般に支持されたのは、国王というものは単なる徴税者なのではなく、領民に慈悲と幸福を賜う貴い存在であり、またそうあるべきだと観念されていたからである。国王が絢爛豪華な宮殿に住むことができたのも、臣下や領民との間にそうした合意があればこそのことであった。しかし、再三その期待を裏切り、悪政をほしいままにすれば、革命の危機に直面する。そして、民自身が政治を行う主体だという思想をもたない伝統社会にあっては、革命後もまた、新たな救世主が国王として君臨することになる。その政治過程では、国王幻想はもとより、世直しにまつわる迷信や流言、あるいは嘆願や民衆蜂起などが複雑に絡み合い、世相を騒がせる。世直しの機運が芽生える中で、義賊が誕生しやすいのも、政治文化の問題であり、民衆の願望が大きく反映している。

このような政治文化は、広い意味では政治思想や政治理念を包括するが、それそのものとは違う。政治文化は、その原理に政治思想や政治理念をもつが、現実の政治世界では、それらは必ずしも忠実に反映されるものではない。民主主義を標榜しながら民主主義的でない国はいくらでもある。前近代社会では、儒教・仏教・キリスト教・イスラム教などに基づく政治思想を原理とした国が数多あったが、その政治世界や民衆世界の様相は、地域や民族、国家によってさまざまであった。原理は同一の政治思想であっても、その表れ方は違っている。

西欧に端を発する近代は、確かに絶対的な力によって、世界をわがもの顔で席捲した。しかしそれは、必ずしも一様な社会・国家を作りだしたわけではない。各地域・民族・国家における伝統的な政治文化に規定されて、それぞれに独特な政治世界を作り出した。近代の顔は一つではない。近代を超えられずとも、近代との葛藤を相当長期にわたって行い、現在もこれからも行い続けるであろう国や地域はいくらでもある。たとえば、ブータンが必要以上のGDPの発展を追求せず、住民総幸福量の増進に政策の基礎を置いているのは、ブータンの伝統的な政治文化のあり方と密接に関わっているはずである。政治文化史的な議論には、発展段階論から自由になって歴史を見る地平を提供することができる可能性がある。

本書のねらい

本書は、こうした点に着目して、近代の日朝関係史を概観していこうとするものである。近代朝鮮の歴史は、一国史的には成立し得ず、とりわけ日本との関係抜きには語ることができない。近代日本の歴史もまたそのはずである。両者は、各々どのような社会を前提に、どのように近代世界に突入し、どのような国家を作ろうとしたのであろうか。本書では、こうした流れを政治文化の問題を糸口に明らかにしていきたい。

本書の範囲は、一九世紀半ばから一九一〇年の韓国併合までである。ただ、政治文化を問題にするからには、長期的な視座が必要であるために、朝鮮王朝成立頃から話を始めている。そして、それと日本を比べるべく、日本の政治文化にも言及している。本書は、朝鮮に軸足を置いた日本との関係史であるが、比較史も意図されているということである。

文化というのは、その頭に「政治」が冠せられるにせよ、必ずしも善悪では論ずることができないものである。一方の文化で他方の文化を否定するならば、それは文化侵略にしかならない。だが、歴史のある段階において、それが幸いや災いをもたらすことが往々にしてある。そして、幸いを得た者は災いを得た者を罵倒する。歴史の負性である。であればこそ、歴史の展開を背後で規定する政治文化への関心が高まる必要がある。近代の日朝関係史は、確かに日本の朝鮮侵略史という一面をもつが、何がそれを可能にさせたのかを、冷静に政治文化史的次元において考える必要があろう。今日の朝鮮半島と日本の間には、なおさまざまな問題が横たわっているが、相互理解のポイントは、互いの文化や政治文化をよく知ることである。両者は隣国であるがゆえに、好むと好まざるとにかかわらず、未来永劫に交流を培っていくしかない。本書は、文化一般は論じないが、相互理解にも寄与したいというささやかな欲求をもって、政治文化史的な観点から書かれた近代日朝関係史である。

＊本書の日付は、基本的にすべて陽暦である。また、初出に限って朝鮮の人名や地名などにカタカナのルビを付した。

目　次

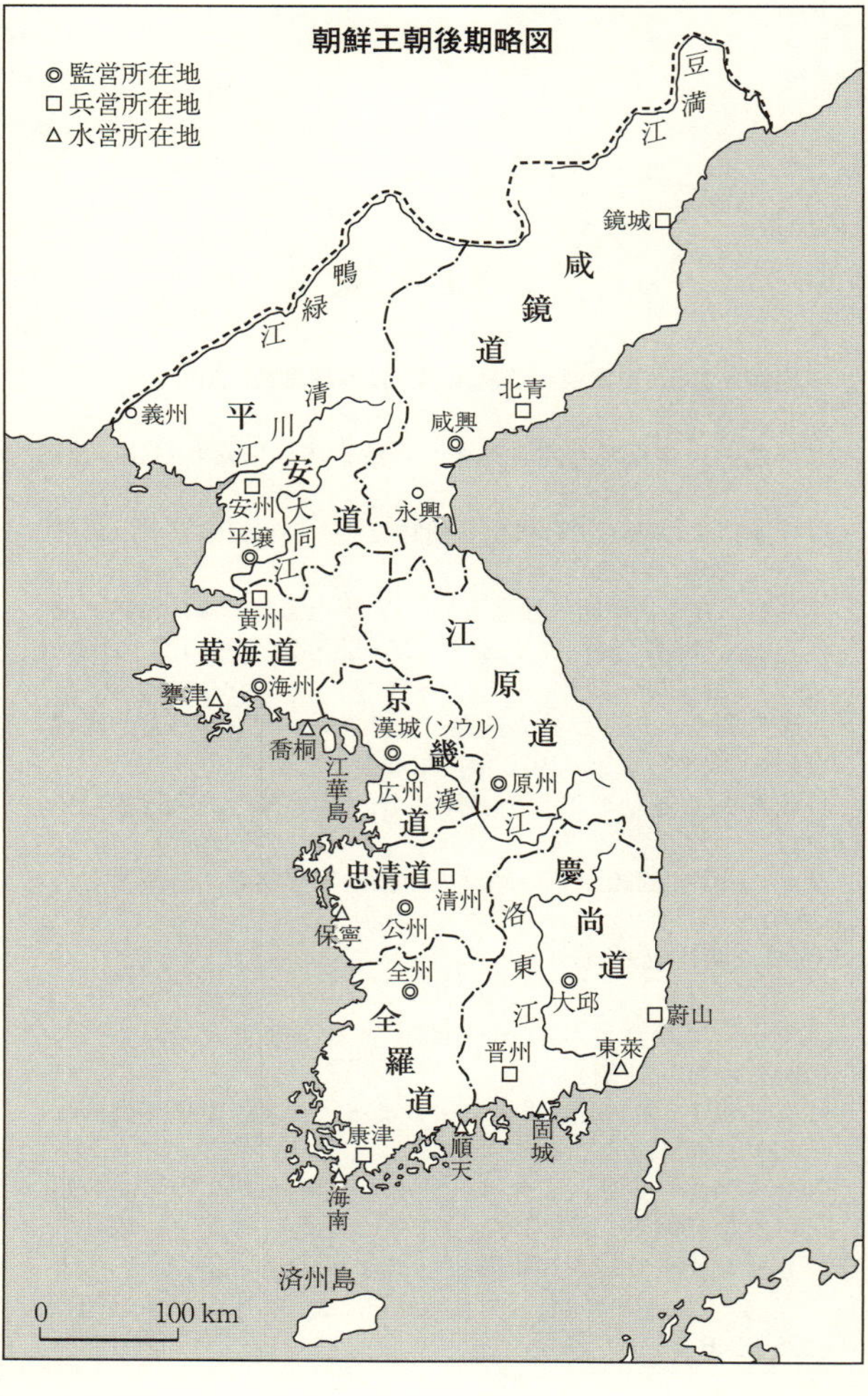
◎監営所在地
□兵営所在地
△水営所在地
豆満江
鏡城
咸鏡道
北青
咸興
永興
鴨緑江
清川江
義州
平安道
安州
大同江
平壌
黄州
黄海道
海州
甕津
喬桐
江華島
京畿道
漢城（ソウル）
広州
漢江
江原道
原州
忠清道
清州
公州
保寧
慶尚道
洛東江
大邱
蔚山
東萊
晋州
固城
全州
全羅道
康津
順天
海南
済州島
0
100 km

朝鮮王朝後期略図

図版出典一覧

『図録・評伝 安重根』姜昌萬著，日本評論社，2011年(205・240頁)
『異端の民衆反乱』趙景達著，岩波書店，1998年(116・117頁)
『伊藤博文の韓国併合構想と朝鮮社会』小川原宏幸著，岩波書店，2010年(230頁)
『写真で知る　韓国の独立運動 上』李圭憲著，高柳俊男・池貞玉訳，国書刊行会，1988年(27・38・42・79・133・200・219・221・235頁)
『義兵闘争から三一独立運動へ』F・マッケンジー著，韓晳義訳，太平出版社，1972年(163頁)
『朝鮮独立運動の群像』姜徳相著，青木書店，1984年(215頁)
『カラー版　錦絵の中の朝鮮と中国』姜徳相著，岩波書店，2007年(49頁)
毎日新聞社(255頁)

『근대외교의발자취 1876〜1905』부산근대역사관，부산，2005年(29・51頁)
『독립기념관전시품도록』독립기념관，서울，1997年改訂版(69・93・141・173・187頁)
『민족의 사진첩』최석로，서문당，서울，① 1994年(143頁)，③ 1994年(1頁)，④ 2007年(254頁)
『한일병합사 1875〜1945 사진으로보는 굴욕과 저항의 근대사』신기수(이은주訳)，눈빛，서울，2009年(4・120・195・225・246頁)

第一章　朝鮮王朝と日本

両班　官服の文官(左)と軍装の武官(右)

1　朝鮮の政治と社会

朝鮮王朝の身分制度

一三九二年に建国された李氏朝鮮《イシチョソン》の身分制は、両班《ヤンバン》・中人・良民(常人)・賤民の四区分からなっていた。士族である両班は官僚ないしはその子孫から構成されていた。中人は世襲的性格が強く、科挙の雑科合格者とその一族からなっており、中下級の技術官僚層であった。被支配階層は良民と賤民であるが、前者は軍役などの良役(徴兵・労役ないしそれに代替する布の納付義務)を負担する階層であり、後者は奴婢として官庁や両班に直接に隷属する階層であった。しかし、社会慣習的には賤民は奴婢だけを指したのではなく、七般公賤(妓生《キーセン》・内人・吏属・駅卒・牢令・官婢・有罪逃亡者)・八般私賤(僧侶・令人・才人・巫女・捨堂・挙史・白丁《ペクチョン》・鞋匠)といわれる雑多な職種の者がいた。七般公賤の内に数えられる吏属(胥吏《しょり》・衙前・官属ともいう)は郷吏身分であり、本来は高麗《コリョ》時代の豪族の末裔であった。彼らは両班の下にありながらも、民衆支配を直接に担った。

このような身分制下にあって不可思議なことに、肝心な支配階層である両班＝士族は、法制的には厳密に明確化されていなかった。両班とは本来、東班＝文官と西班＝武官の総称であり、文武官僚を意味する言葉であった。文武官僚になるには、文科(大科と小科からなるが、一般に大科をいう)と武科の試験に及第する道と、蔭叙《いんじょ》(官員の子や孫が受けられる恩恵的官職授与)による道とがあった。後者は貴族制的な高麗時代に比べて制限が厳しくなり、官途の出世には限界があった。いずれにせよ、両班とは官僚を意味したが、しかしこの言葉はいつしかその意味が拡散し、長きにわたって官僚を輩出していない家門の者であっても、在地社会では両班と認知されることがあった。従って政府では、一五二五年、士族の範囲を生員・進士(科挙の小科合格者)、四祖(父・祖・曾祖・外祖)に顕官(一品から九品までの全官僚が入る)がいた者、文・武科及第者及びその子孫に限定した。つまり科挙合格者を除けば、官僚の子孫は四代を超えて両班と称することができなくなった。

しかし、両班の定義はその後も不明確であった。両班とは一貫して、法制的な手続きを通じて認定された階層ではなく、社会慣習的に形成された階層であり、両班かそうでないかの基準は非常に相対的で主観的なものであり続けた。両班には大きく京班(在京両班)と郷班(在地両班)があったが、在地両班の場合には、ある地方では両班と認められても、他の地方に行けば両班と認定されないこともあった。

王道の政治システム　朝鮮王朝の建国理念は朱子学におかれ、その政治理念は儒教的民本主義であった。儒教的民本主義というのは主に『孟子』の思想に範を採るものだが、権力主義的

書　院

な覇道を排して徳治主義的な王道を目指し、どこまでも民のための政治を行うことが謳われた。王道政治にあっては、慈愛深き君主による万民に対する徳治が理想化された。

　このような王道政治の理想の下、朝鮮王朝は八道からなる大行政区域から成り立っていた。その下には三五〇ほどの邑《コウル》（地域によって名称を異にし、府・牧・郡・県などという）があり、その下にさらに面（行政村）―洞・里（複数の部落からなる自然村）という末端行政区域が存在していた。面の任員は風憲・約正、洞・里の任員は尊位・頭民などといった。道の首府である監営には観察使（監司）が派遣され、邑の監督を行ったが、邑には守令が派遣され、行政・司法・徴税などの業務を行った。また、邑には在地士族の自治組織である郷庁（朝鮮王朝前期は留郷所といった）が置かれ、守令の諮問機関となり、郷吏＝胥吏の監督も行った。郷庁の任員を郷任（座首・別監など）といったが、これは在地士族の登録簿である郷案の中から選ばれた。邑にはほかに、首都漢城《ハンソン》（ソウル）にある成均館《ソンギュングァン》の下に連なる郷校が設置され、地方の儒教教化と子弟教育を担った。さらに邑には、在地士族が任意に設ける書院があり、ここで政事や時勢が議論されたが、書院は時に地方勢力巣窟の場とされ、王権強化とは相容れないものとされた。軍事組織としては、中央軍のほかに全国に兵営(陸軍)と水営(海軍)を置き、徴兵制度を整えたが、軍役は一六世紀には人頭税化していき、王権は強大な軍事力をもつことはなかった。

豪族連合的性格から出発して貴族制的国家に成長した高麗王朝を継承した朝鮮王朝では、当初より王権は決して強いものではなかった。貴族制的国政は否定されたものの、厳正な科挙制度による人材の登用は中国ほどには徹底されなかった。従って、建国当初より一君万民の政治が理想化されながらも、君臣共治が政治運用の基本であった。中央には議政府があって、その下に実務を担当する六曹(吏・戸・礼・兵・刑・工)があった。また、三司と呼ばれる司憲府(官僚の風紀矯正)・司諫院(国王への諫言)・弘文館(典籍研究と国王文書の作成)があって、王権を掣肘す

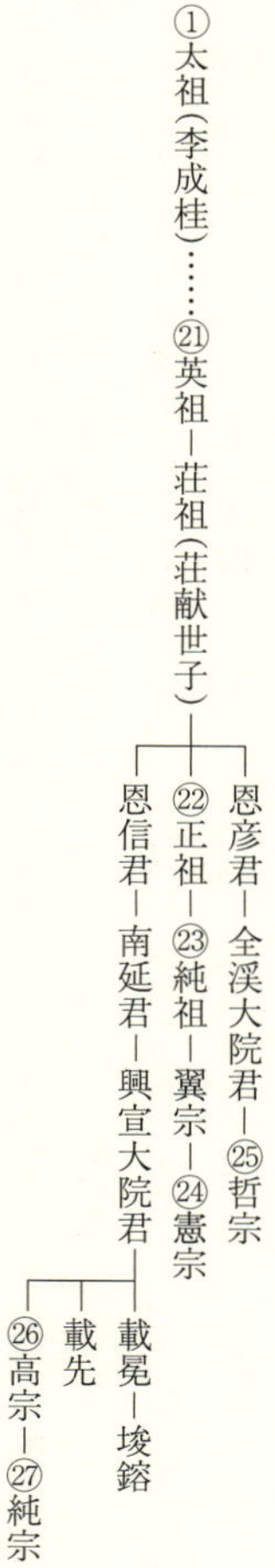

朝鮮王朝系図

る機能を果たした。そうした君臣共治のシステムを維持しながらも、一君万民の政治を真に具現しようとしたのは、英祖《ヨンジョ》(在位一七二四～一七七六)と正祖《チョンジョ》(在位一七七六～一八〇〇)である。

一君万民体制にあっては、公論や直訴は重要な言路であり、建国当初より重視された。儒教的民本主義にあっては、政治の主体はどこまでも国王や官僚・士族にあり、民は政治の客体でしかなかったが、その代わり民の異議申し立ては確固として認められていた。王宮の前には申聞鼓《シンムンゴ》があり、それを叩けば直訴がかなった。一六世紀には国王行幸の際にも直訴(上言・撃錚)が容易になった。

儒教的民本主義

英祖と正祖はこうした直訴簡便化の流れを加速させた。英祖は保民済民策としての行幸詢問や招致詢問を頻繁に行って直訴を受け付けた。また、正祖は英祖以上に詢問に心をつくし、守令などの官権保護の立場から直訴を制限すべきだという意見があったにもかかわらず、在位中に受け付けた直訴は四四二七件にまで及んでいる。そして、国王の親任官としてしばしば地方に派遣された暗行御史《あんこうぎょし》は、地方政治の不正を暴く隠密の調査官として、従来以上に重要な役割を担った。

儒教的民本主義は、他にも勧農教化・賑恤《しんじゅつ》扶助・平均分配などをその具体的内容としていた。そして、儒教的民本主義の基礎には農本主義があり、純朴な農夫として生きることが通俗道徳的に教化された。民は食を生産する主体であると同時に、救難時には仁政を受ける権利をもった。民本である以上、民は国よりも重いとされ、民衆同士の相互扶助も奨励された。富民は貧民を助けるべき存在であった。両班は儒教的民本主義を内面化した存在とされ、民衆救済は両班の当然の責務であった。こうした民本主義のあり方は、勢い平均主義を理想化することになり、均田思想が育まれた。

さらに、一君万民体制下にあっては、原則的に土地の売買と移動の自由が保証されていた。朝鮮の村には、プマシやトゥレといわれる共同労働が存在し、村落共同体は確かに存在したが、しかし村は開放的であった。村落間移動はさほど困難ではなく、新参者はたやすく受け入れられた。ひとたび村の成員になったからには、村落組織の洞契に参加し、郷約に起源をもつ洞約(村掟)に拘束されはしたが、村を去るのは自由であった。

一君万民社会の現実

しかし、こうした一君万民に基づく儒教的民本主義は、あくまでも理想であって、必ずしも現実がその通りであったというわけではない。人々は流動性に富んでいたがゆえにかえって、凶作時には流民化現象が起きることもしばしばあった。戸籍調査は三年ごとに行われることになっていたが、厳格性を欠いた。建前では厳格に行うことになっていたが、厳格に行えば、貧しい者が良役から逃れられなくなるとして、目こぼしされることも珍しいことではなかった。相互監視や連帯責任を負わせる五家統制も、一応は整備されていたが、十全には機能しなかった。

しかも儒教的民本主義にあっては、教化主義が優先されて規律主義(法治主義)が従とされたために、現実においては逆に、民本に反する事態が往々にして見られた。たとえば、軍役が人頭税化したのは、一面民本主義の論理によるものであったが、しかしそれは苛税となり、かえって民衆を苦しめた。何よりも、一君万民の理想は、朋党政治＝臣権の強大性に脅かされ、朝鮮王朝後期には四色《サセク》(老論・少論・南人・北人)による党争が熾烈に行われた。それはまた、常に地方官や胥吏などの仲介勢力によって踏みにじられた。地方官志願者は数多く存在し、それを勝ち抜くには賄賂が必要であり、地方官は君子然としてばかりいてはなれるものではなかった。また胥吏は、役務であったために俸給がなく、給与の自己調達＝行政手数料のようなものとして、勢い民衆収奪をするしかなかった。守令は牧民官(地方官)としての自覚をもち、そうした胥吏を侮蔑しながらも、自らの手足となる彼らの中間収奪をある程度は容認しなければならず、自らも収奪に与した。

民衆の側も、納得できる範囲であれば、権力の側の収奪を必ずしも不正とは考えなかった。救難時には守令は、確かに賑恤を行おうとし、経済的にも人格的にも民衆に君臨する「土豪武断」の両班や富民から賑恤米を出させた。両班や富民も、不本意ではあっても賑恤を当然の行為として心得ていた。胥吏も、時に仮面劇を演じるなどして民衆への慰安に努め、凶作時には恩着せがましくはあるが、収奪をゆるめて徴税に手心を加えた。また民衆は、儒教的民本主義に訴えて、賑恤を正当な権利として要求した。賑恤が行われない場合は、民乱（作鬧《さくどう》・作擾・民擾）が起こされることにもなった。治者と民衆との間には「徳治と誅求の不明瞭な統治空間」が存在し、奇妙な共生関係＝秩序が成り立っていた。一君万民に基づく儒教的民本主義の政治文化は、まことに複雑な様相を呈していた。

民衆の成長

このような政治文化を背景に、民衆は一八世紀以降大きく成長していく。すでに、移《い》秧《おう》法（田植）の普及にともなう生産力の増大とも関連して、一七世紀頃朝鮮農民は、小農として自立化の方向をたどっていた。小農自立は身分制解体の第一歩であった。党争や生活の奢侈化、門中《ムンジュン》（親族組織）への過重な扶助行為などによって没落両班が析出される一方で、一般民衆の身分上昇が図られていった。郷案には、一八世紀以降、経済的実力をもって饒《じょう》戸《こ》・富民層や庶孽《しょげつ》（庶子）層などが登録される事態が一般化していく。身分上昇の手段にはさまざまあり、他に納粟《のうぞく》（危急時の穀物献納）による職帖（官職辞令）の取得や、郷校や書院の学籍への登録、さらには族譜《チョッポ》への偽録や、果ては戸籍への幼学（科挙及第前で仕官もしたことがない儒生）の偽称などがあった。

一八世紀以降、とりわけ一九世紀は、民衆がその上昇志向を通じて主体として立ち現れる、民衆胎動の時代であった。民衆は小農として目覚めていく中で、家の連続性を現実のものとし、さらには祖先観念や同族意識を強めることによって、士族的な価値規範や生活理念を共有しようとした。こうして戸籍や族譜の上では、士族であるかのような人々が広範に生み出され、外見上の両班人口は増加していく。日本的な兵農分離体制とは違う朝鮮にあっては、士族と農民は村々で共生した。士族は中小地主層として農民に君臨する収奪者としての一面をもってはいたが、儒教的規範の内面化を強いられた民衆は、いつしか両班的規範への憧れも抱くようになっていった。民衆の両班観は、愛憎相半ばするアンビバレントなものであった。

士の概念

こうした事態の中で、やがて両班＝士族とは何かということが問われ始めていく。

士とは朝鮮の固有語ソンビに対応する漢語であり、本来、身分を超越して学徳を備えた人格者を指称する語である。一八〜一九世紀前半にかけて、のちに実学者といわれるようになる改革思想家群が誕生するが、彼らは自らが士であるという自負のもとに士族批判を強めた。中でも一八世紀後半に活躍した実学の巨匠朴趾源《パクチウォン》は、士族が遊民化している事態を鋭く批判し、本来あるべき士のあり方を探求した。彼によれば、両班と士族は同義だが、士とは必ずしも同義ではないという。士とは身分を超越するものであり、「孝悌忠信」を「実」として学び、「礼学刑政」を「用」として学んで、実用に帰結する学問を行う者こそが、士＝読書人というにふさわしいというわけである。そこには士たる者は、天下国家のために尽くすべき者であるという認識が働いていた。

この議論を継承して、のちに開化派の祖となる孫の朴珪寿《パクキュス》は、士を読書人のみに限定せず、士以外の農工商、たとえ賤民であったとしても、「孝悌忠順」の徳を所有してさえいれば、士というべきであるとした。彼は、「孝悌忠順」という普遍的「道」の観点から現実の士族身分の相対化を図ることによって、四民平等の論理的基礎を築いた。一君万民の理想にあっては、本来身分制などあってはならないものであった。朝鮮における内在的な身分制の解体は、もうすぐそこに迫っていた。

日本との比較

このような朝鮮社会のあり方は、同じく小農社会を形成していたとはいえ、日本とは相当に異なっていた。確かに、儒教的な統治方法は近世日本でも採用されていた。

近世日本には、仁政イデオロギーを前提とした公儀との恩頼関係＝「百姓成立《なりたち》」の論理があり、教諭を軸とする儒教的政治文化があったことを否定することはできない。大名を牧民官に擬するような議論もあった。儒教的教養を育むことは武士の当然のたしなみであり、儒教教育を根幹とする藩校が一八世紀の終わり頃からは全国的に普及した。

しかし近世日本では、「武威」は幕藩体制の最大のよりどころであったことには変わりがない。民本主義によって立つ牧民意識がありはしたが、厳格な法治思想と「御救」による仁政主義は両立していた。また、日本では儒学者が政治に積極的に参与するなどというのは、新井白石や熊沢蕃山などに例外的に見られるだけで、儒学者の社会的地位は低いものであった。朝鮮から見た場合、武士は決して士＝読書人ではなかった。儒学者の士が、その学問を政治に活かせないという社会は、理解の埒外であった。

実際、近世日本は、戦国時代のような流動化した社会への回帰を阻止するためにさまざまな「武威」的措置を講じていた。幕府は、身分制を厳格にして農民を土地に緊縛し、徒党を禁止して職業の選択や旅行の自由を制限した。戸籍に相当する宗門人別改帳も、厳しく管理運用された。そのため、流民化現象は容易には起こらず、村掟は厳格にして、朝鮮の五家統制に比定される五人組も有効に機能し、百姓一揆も、一八三六年の甲州騒動頃まではきわめて規律的に秩序だって行われた。密偵と相互監視のシステムが異常に発達し、人々はその生活や文化を細かく規範化され、社会のあらゆる局面を「格式」が支配した。しかも幕府と諸藩の行政機構は、瞬時に軍事組織に転化しうるような準戦時動員体制として仕組まれていた。それはある種、「兵営国家」的様相を呈していた。

要するに、朱子学に基づく仁政イデオロギーは、朝鮮でも日本でも確かに機能したが、朝鮮では統治の原理そのものであったのに対して、日本では統治の手段であったという側面が強い。原理をもった社会というのは、そうたやすく自らを変えることができない。このことは、両国のウェスタン・インパクトへの対応の仕方に重要な差異をもたらしていくことになる。

2　開国前夜の朝鮮

英祖と正祖は党派人事の公平を期した蕩平《とうへい》政策を採用し、それまでの党争を緩和した。その結果、王権が安定化の兆しを見せるとともに、実学思想や庶民文化が発展した。しかし、一九世紀に入って幼年の純祖《スンジョ》(在位一八〇〇～一八三四)が即位すると、安東《アンドン》(本貫《ほんがん》―氏族発祥の地。姓氏を特定する場合、姓の前に付ける)金《キム》氏による勢道《セド》政治が行われるようになり、王権は再び弱体化の方向に向かう。「勢道」とは本来「世道《セド》」と呼ばれ、国王の信任を受けた者が政権を代行することを意味した。しかし、正祖の遺託を受けた金祖淳《キムジョスン》は、自身の娘を純祖の妃として外戚となり、権勢をほしいままにして一門の出身者を要職に就けた。四色の党派にあって、安東金氏は老論であったため、老論勢力が他を圧倒した。少論勢力が次に続いたが、南人と北人の勢力は微々たるものであった。こうした戚臣による権力政治が勢道政治と呼ばれ、以後朝鮮の政治の特色となっていく。純祖の跡を継いだ憲宗《ホンジョン》(在位一八三四～一八四九)の時代には、豊壌趙《プンヤンチョ》氏が外戚となり、一時勢道が移ったが、安東金氏の権勢は持続し、哲宗《チョルジョン》(在位一八四九～一八六三)期に至るまで勢道政治をほしいままにした。

勢道政治と王権

勢道政治は何よりも門閥政治であったため、過度な権力の集中は、勢い売官売職の風の盛行をもたらした。それは、賄賂政治ともいうべき腐敗した政治の進展を意味した。そのしわ寄せは当然に民衆への苛税＝苛斂誅求となって表れるしかなく、民衆はいわゆる三政の紊乱に苦しんだ。三政とは、田政（田税をはじめとする各種地税）・軍政（本来軍役制度としてあったものが、軍布徴収に切り替わって良民の人頭税的性格を持つようになったもの）・還政（本来春窮期に米穀を貸し出して秋収期に一割の利息を付けて回収する賑恤政策としてあったものが税制化したもの）の三つをいう。三政以外にも国政上許されていない商業課税である無名雑税があり、これは小商人を苦しめた。民衆は確かに、小農あるいは小営業者として成長していたが、その方向性は安定していたわけではなかった。また、勢道政権下では、守令の力が増し、守令は胥吏や両班土豪との結びつきを強めた。

洪景来の反乱

このような勢道政治に対する不満は、まず政権から排除された両班の不満を呼び起こした。一八一一年の洪景来《ホンギョンネ》の反乱である。平安道《ピョンアンド》の嘉山《カサン》から始まった反乱は、まず嘉山郡守を殺害し、一挙に平安道各地に勢力を広げた。反乱は没落両班を中心に起こされたもので、地方差別打破と安東金氏打倒を旗印に掲げていた。反乱参加者には、他にも郷任や胥吏などの在地有力者、商人なども加わっており、無田農民や鉱山労務者、雑業者などが動員された。反乱は明らかに易姓革命を目指したものであったため過酷に弾圧され、二〇〇〇名近くの者が斬首された。易姓革命を志向する反乱は変乱と称される。

しかし、洪景来は生きているという風説が広がり、その後も反乱の芽はくすぶった。一八一三年には済州島《チェジュド》で分離主義的な蜂起が起こったし、一五年と一七年には、それぞれ京畿道《キョンギド》龍仁《ヨンイン》と全羅道《チョルラド》全州《チョンジュ》で、洪景来の反乱を模した易姓革命の謀議が発覚している。

壬戌民乱

勢道政権下においては、易姓革命までは志向しない民乱も多発した。最大の民衆反乱が一八六二年の壬戌《じんじゅつ》民乱である。民乱は、慶尚道《キョンサンド》の丹城《タンソン》と晋州《チンジュ》で二月に発生したのを端緒に各地に波及し、慶尚道一九邑、全羅道三八邑、忠清道《チュンチョンド》一一邑、その他咸鏡道《ハムギョンド》、京畿道、黄海道《ファンヘド》にもそれぞれ一邑ずつに飛び火して、確認されるだけでも民乱発生地は、全国七一邑に及んだ。壬戌民乱とはこれら民乱の総称である。

民乱の主体は貧農や無田農民であったが、彼らは有力な在地士族を指導者として担ぎ上げ、彼らの徳望において民乱を有利に進めようとした。士族と民衆の間には階級的な矛盾があったが、他方で民衆が儒教的民本主義の論理に訴えて指導者になるべきことを要請したとき、士族がそれを断るのは容易ではなかった。また、士族の中には自ら進んで指導者になる者もいた。そこには徳望家的秩序観ともいうべき独特の在地秩序観があり、それが一君万民思想を郷村レベルで支える心性を培った。民乱が起きるとき、往々にして士族と民衆は一体化した。

壬戌民乱では守令と郷吏、郷任などが主な攻撃対象であったが、士族に率いられた民衆は、郷吏などを数人殺害することがあっても、守令を殺害することは決してなかった。国王が直接に任命した守令は国王の分身であり、殺害は易姓革命と見られたからである。守令はせいぜいのところ放逐されるに止まった。民衆は国王が派遣した宣撫使や按覈使《あんかくし》(調査官)の前にひれ伏して国王の仁政を哀願した。民乱にも作法があり、規律があった。

在地士族と民衆は、半世紀以上にもわたる勢道政治への不満を、今や易姓革命ではなく、むしろ国王への切ない期待によって解消しようとした。安東金氏などの門閥や地方官僚などの仲介勢力の勢いを止められるのは、国王以外にあり得なかったからであり、ここに国王幻想がにわかに高まりを見せていく。

社会不安の醸成

民衆を不安にさせたのは、何よりも飢餓の恐怖であった。勢道政治下で、賑恤機能はにわかに低下していく。一八世紀には飢饉が発生した地域に対して、政府は一万石から四万石ほどの糧穀を送っていたが、一九世紀には支援が困難になった。飢民の救済は、もっぱら地方官庁の財源からの支出と富民の協力の手に委ねられ、しかも富民の協力の比重は徐々に高まっていった。

こうした中で、コレラやチフス・天然痘などの疫病が流行した。朝鮮王朝後期を通じて疫病は断続的に発生し、数万名の死者を出すことも珍しいことではなかった。とりわけ一八二一〜一八二二年に大流行したコレラ禍では、数十万人が死亡した。その記憶がまだ消え去らない一八五九〜一八六〇年にもコレラが再び大流行し、人々はさらなる恐怖に突き落とされた。政府は、このような疫病の流行に対して薬物を送ったり、患者を活人署（公営病院）に収容したりしたが、なす術なく、ただ民心宣撫のため供物をささげて鬼神を慰撫する厲祭《れいさい》や死者のための慰安祭を挙行したりするばかりであった。

訛言・掛書事件が、こうした社会の動揺と人々の不満や不安を背景としてしばしば惹起された。訛言は流言で、掛書は城門や場市《チャンシ》（五日ごとの市場）、村の入り口などに貼られる落書である。これらは体制批判として行われ、時には大胆にも官庁への直接的投書がなされる場合もあった。変乱や民乱などは、往々にしてこうした事件を前触れとして起きた。

流民も跡を絶たず、彼らは時に盗賊化した。盗賊集団を明火賊ないしは火賊といったが、彼らは通常数十名からなる隊伍を組織していた。襲撃の対象は、主に両班土豪や富民、そして場市などであるが、地方から中央への上納銭や地方官庁なども襲撃対象となる場合があった。本来彼らは、半農半火賊的性格を持ち、農閑期の秋冬間に一時的に、かつ畿湖《キホ》地方（京畿道・全羅道）に限定的に出没していたが、一八六二年頃から、その活動は長期化・恒常化・広域化・全国化するようになっていった。

他方、勢道政治下では対外的危機も進行した。西勢東漸の波濤は朝鮮にもようやく押し寄せ、時として異様船が出没したり、商船や軍艦が通商を求めて来航したりする一方で、天主教《チョンジュギョ》（カトリック）が流行しだした。政府はそれに対して辛酉《しんゆう》教獄（一八〇一年）や己亥《きがい》教獄（一八三九年）などの弾圧をもって臨んだ。それでも天主教は拡大し続け、一八五七年には一万三〇〇〇人、一八六五年には二万三〇〇〇人の信徒が誕生するまでになった。そして、宗主国の清はアヘン戦争を契機に衰勢の兆しを見せはじめた。太平天国の反乱に苦しめられた後、一八六〇年には第二次アヘン戦争の結果としてついに英仏連合軍の北京入城をまねくに至った。この報が漢城に届くと、政府の対西欧脅威感はいやが上にも高まった。人々は西欧勢力が今すぐにも朝鮮へ押し寄せてくるものと思いこんで仕事をやめ、富民は山野に避難し、官人までもが郷里に逃避するというような混乱状況に陥った。

東学の創建

時代は混沌とした終末的気分に覆われていた。そうした気分を象徴するのが『鄭鑑録《チョンガムノク》』信仰である。これは、やがて終末が到来し、真人鄭《チョン》氏が李氏に替わって国王となり、人々を救済するという信仰であるが、一八世紀中頃より全国的に広がっていった。真人とは超人であり、救世主である。洪景来の反乱もこれに仮託していた。

しかし、民衆はもはや真人の出現を待つ余裕をなくしていた。ここに誕生したのが東学《トンハク》である。東学は、一八六〇年五月に慶尚道慶州《キョンジュ》で没落両班出身の崔済愚《チェジェウ》によって創建された。崔は儒教・仏教・道教の三教を統合して「天心即人心」といい、万人は仙薬の服用と呪文の読誦によってたやすく「侍天主」=天霊に感応することができるとした。そこには一神教的な天観があり、神秘主義的な天人合一思想があった。東学は、万人にとって君子化・神仙化、さらには真人化が可能であることを唱えたものにほかならず、人間平等の論理をはらむものであった。朝鮮社会の身分制の解体に即応して実学思想が切り開こうとした平等思想を、崔済愚は土俗信仰と共鳴することによって、民衆的に一挙に開花させた。そして重要なことは、東学が民族主義的な性格をもっていた点である。東学とは、西学(天主教)に対抗する東方(朝鮮)の学を意味したが、真人化した者は「剣舞」によって洋人を撃退できるとし、あわせて「後天開闢《かいびゃく》」の原理によって「地上天国」が実現されるとした。

真人を待つまでもなく自らが真人になれるとした東学は、またたく間に多くの信者を獲得したが、これは朱子学至上主義の王朝政府から見れば危険きわまりない教義であった。やがて東学は異端のレッテルを貼られ、崔済愚は六四年四月一五日「左道惑民」の罪により処刑された。

実のところ崔済愚は、決して儒教倫理を否定していたわけではなく、むしろその全面肯定のうえに両班的規範を民衆に求めていた。東学は、両班的価値を認めたうえで、すべての者が両班になれるとした意味において平等思想なのである。そして、崔済愚は「守心正気」という内省主義を唱え、真人たるべき民衆に変革の実践を求めたりはしなかった。であればこそ、彼は壬戌民乱に対しても傍観の姿勢を取った。しかし、東学徒の中には、自らを真人として位置づけようとする、真の異端の宗教勢力が誕生するようになり、やがてその勢力が中心となって大反乱が起こされることになる。

3 「征韓」思想の形成と明治維新

通信使外交の虚実

近世における朝鮮と日本の外交は通信使外交と呼ばれる。通信使は原則的に将軍の代替わりごとに来日し、一六〇七年から一八一一年までに一二回の通信使（第三回までは回答兼刷還使）が来日した。豊臣秀吉によって引き起こされた悲惨な壬辰戦争（壬辰倭乱）を経て、朝鮮と日本は善隣外交の時代を築いた。通信使一行は五〇〇名前後にもなるものであり、徳川幕府は将軍一世一代の盛事としてこれを丁重に迎え入れた。通信使の来聘は将軍の権威を誇示する絶好の機会であった。そのため莫大な費用が捻出されたが、それらは多く沿道や西国の大名の軍役によってまかなわれた。また、沿道各地では儒者同士の文化交流が行われ、民衆は一生に一度あるかないかの異国人との出会いに心惹かれた。通信使が帰った後には、朝鮮物ブームが起きた。通信使の「唐人行列」は通信使が通らなかった地域の祭礼にも影響を与え、行列風景が再現された。今日に至るまでその名残を留めている祭礼もある。

しかし、善隣外交とは裏腹に、朝鮮に対する認識には蔑視観もともなっていた。対等な関係を確認し合っているにもかかわらず、幕府は国内的には通信使を朝貢使節のように見なそうとし、事実そのように伝え聞く民衆もいた。軍役を課された大名はそれを当然のように農民に転嫁したが、その負担に耐えかねて時に百姓一揆が起きた。また、肉を食する朝鮮人を「不浄」のように考え、それをエキゾチックに偏見たっぷりと描写するような絵画も描かれた。さらに、一七六四年の第一一回通信使来日の際には、朝鮮使臣の一人都訓導崔天宗《チェチョンジョン》が対馬藩士の通詞に殺害されるという事件が起きており、朝鮮使臣と対馬藩士との不仲が露わになっている。その上この事件は歌舞伎となって上演され、対馬藩士の正当性と悲運が民衆の共感を呼ぶような事態にもなった。

華夷思想の日朝比較

こうした朝鮮認識の背景には、日本型華夷意識ともいうべき優越意識があった。日本は神国であり、「武威」において他国に優越しているという意識である。本来の華夷意識はあくまでも文明意識に基づくものであったが、日本では「武威」がより重視された。朝鮮はその観点から「戎国(西の蛮国)」なのであった。

それに対して朝鮮の場合は逆であり、その華夷意識は文字通りのそれであった。明清交替によって華夷(文明と野蛮)が逆転した中国は、もはや華ではあり得ない。一六三七年、朝鮮は女真族の清に軍事的に屈服して朝貢＝事大を余儀なくされはしたが、それは文明的敗北を意味したわけではない。朝鮮は小なりといえども、今やこの世界に唯一存在する華であるという文明意識である。いわゆる小中華思想であり、日本はあくまでも文明的尺度から「東夷(東の蛮人)」なのであった。朝鮮では対清屈服後、にわかに清国討つべしという北伐思想が勃興するが、

「武威」の実践は最後までならなかった。しかし小中華思想は、開国後まで根強く朝鮮思想を通奏低音のように貫いた。

こうした日朝間の華夷意識の違いは、通信使外交の下、表面的には隠蔽されていたが、一九世紀に入ると通信使外交そのものが変質した。朝鮮外交を一手に担っていた対馬藩は、朝鮮との貿易が停滞してくると、朝鮮への侮蔑観をふくらませていった。また幕府も、もとからある朝鮮蔑視観に加え、財政上の理由から朝鮮通信使の江戸への招聘を虚礼と考えるようになった。そこで行われたのが、通信使の来聘を対馬止まりとする易地聘礼である。一八一一年の第一二回通信使において実施され、これが最後の通信使となった。それ以後も、朝鮮から対馬へは、それまでと同じく訳官使が派遣され、外交関係は幕末まで続いたが、幕末期の日朝関係にはきしみが見えだしてくる。

「征韓」思想と「国体」

「征韓」思想は、明治期に入ってにわかに台頭したものではない。朝鮮侮蔑観を前提にしながら、一八世紀の終わり頃から形成されていった。林子平は、朝鮮を一貫して日本に服属している国と見なしたが、朝鮮への侵略を露骨に言明した先駆者は佐藤信淵である。彼は「満州」を手始めに蒙古、朝鮮と侵攻し、ついには中国本土への侵略を夢想した。忍び寄るウェスタン・インパクトへの対抗から、大陸膨張の策を提唱したのである。こうした政略は橋本左内や吉田松陰に継承されていくが、近代日本の膨張主義を考えるうえで、重要な人物は吉田松陰である。彼は、「取り易き朝鮮・満州・支那を切り随へ、交易にて魯国に失ふ所は又土地にて鮮満にて償ふべし」(「書簡兄杉梅太郎宛」)と、将来ロシアに奪われるであろう富の代償として、朝鮮を手始めとした大陸への侵攻を構想した。松陰にあっては、朝鮮は日本の下位に位置づけられ、古来日本に朝貢すべき国として認識されていた。

松陰がこうした「征韓」論を正当化した論理が、「国体」論である。朱子学が原理化されていなかった近世日本では、仏教や神道も儒教と併存して大きな力をもち、蘭学さえも許容されていた。従って、日本では守るべき絶対的な「道」が存在しなかった。そこで、ウェスタン・インパクトの脅威に対抗するために、護持すべき何者かを創出する必要があった。それこそが「国体」であった。

「国体」とは、水戸藩士会沢正志斎が書いた『新論』(一八二五年)で初めて定義づけられた用語である。そこでは国体とは、①天皇の一系支配、②天皇と億兆(万民)の親密性、③億兆の自発的でやむにやまれぬ奉公心、という三つの要素を軸とする国柄として説明された。これに飛びついたのが松陰である。彼は「国体」論的立場から『孟子』を独自な解釈で読み解き(『講孟余話』)、そのことで長州藩の大儒山県太華と争った。松陰の立場は「道」と「国」を画然と分離し、「道」の上に「国」を位置づけることであった。ここに万世一系の天皇が統治して億兆が絶対的な忠を尽くす「万邦無比」の「国体」思想が創造される。以後、「国体」思想は長州藩の彼の弟子たちによって広められ、明治憲法において近代日本の国家原理として確立を見ることになる。

近代日本では、一君万民思想が標榜され、明治憲法(一八八九年二月一一日発布、九〇年一一月二九日施行)と同時に教育勅語(九〇年一〇月三〇日発布)が出され、あたかも儒教化が進行したように見える。しかし儒教は、近世日本と同じく、あくまでも統治の一手段であって国体を護持するための道具でしかなく、決して統治の原理とはなり得なかった。

明治維新と朝鮮

徳川幕府に「征韓」を具体的に提起したのは、対馬藩であった。財政難に陥っていた対馬藩は、列強によって侵略が具体化した際には、まず朝鮮が危機に陥り、その場合は対馬も禍を被るので、幕府の援助が必要だと訴えた。「征韓」的言説は、この文脈で出てくる。攘夷を断行するためには、朝鮮の協力が必要だが、「信義」をもってしても朝鮮が日本に「服従」しない場合には、「兵威」によって朝鮮を屈服させるべきだとした。こうした建議は対馬藩家老大島正朝によって行われたが、背後でけしかけたのは松陰の弟子木戸孝允であった。

幕府は大島の建議を受け入れ対馬への援助をひとたびは承認したが、しかし「征韓」策を決定したわけではなく、また大島の建議も必ずしも「征韓」の実行を強固に迫ったものではなかった。しかし、「征韓」論は思わぬ形で朝鮮に伝わった。一八六六年一二月、香港に滞在する八戸順叔という人物(幕府代官手代の息子)が、幕府は朝鮮を日本に朝貢させるべく「興師」の軍を挙げようとしているという風聞を中国の新聞に流した。このことが清国政府から朝鮮に伝わると、朝鮮は対馬を通じて幕府を詰問した。幕府ではこれを事実無根のことだと否認して事なきを得たが、朝鮮の日本への不信は強まった。

そして、明治維新とともに朝鮮と日本は国交が断絶することになる。一八六九年一月三一日(陰暦一八六八年一二月一九日)、新政府は対馬を通じて王政復古の告知を朝鮮に発したが、その書契(日朝間の外交文書)は一方的に旧例を排するものであり、「皇」とか「勅」というような文字が使われていた。これは、朝鮮国王を格下げして天皇をその上位に位置づけることになるに等しい文書であった。朝鮮はこの書契の受理を当然のごとく拒否した。ここに国交が事実上断絶し、近世において曲がりなりにも営々と築かれてきた善隣関係は断ち切られることになる。

問題はこれだけではない。新政府が、朝鮮はこの書契を拒否するのを確信して使節を派遣したことである。木戸孝允は、使節が朝鮮に到着する前にすでに、朝鮮がこれまで天皇に朝貢してこなかったことを「無礼」としてとがめ、朝鮮が不服の時は「神州之威を伸張せんこと」(『木戸日記』一二月一四日条)を岩倉具視に提言していた。明治維新はその初めから侵略思想を内包させていたのである。

第二章　朝鮮の開国

開港直前のころの漢城(ソウル)　正面が景福宮

1　大院君政権

日本の明治維新とほぼ並行して、朝鮮でも大きな政治の転換があった。国王高宗《コジョン》(在位一八六四〜一九〇七年)の即位にともなう興宣大院君《フンソンテウォングン》政権の誕生である。

大院君政権の成立

大院君とは国王の生父に対する尊称であり、興宣大院君とは李昰応《イハウン》その人である。安東金氏による勢道政治は、壬戌民乱を経てようやく崩壊へと向かっていた。哲宗には四人の息子がいたが、いずれも早世し、王世子がいなかった。そうした場合、新国王の指名は王室の最高齢者の大権に委ねられた。その任を担ったのは純祖の息子孝明《ヒョミョン》世子の妃趙大妃《チョテビ》(神貞王后《シンジョンワンフ》)である。孝明世子は王位に就くことなく早世し、翼宗《イッチョン》と諡《おくりな》されたにすぎなかったが、国王指名権における趙大妃の力は絶大であった。李昰応は王族とはいえ、零落した身の上であり、安東金氏一族にも軽侮されていた。実際、彼は市井の不良輩と交際するような破天荒な人物であった。しかし、彼は野心をたくましくし、自身の次男命福《ミョンボク》(本名載晃《ジェファン》)を国王にすべく、安東金氏に反感をもつ趙大妃に近づき、見事指名を勝ち取った。時に一八六四年一月のことで、命福はわずか一二歳であった。以後趙大妃の垂簾《すいれん》政治が三年の間行われるが、実権は大院君に委ねられ、その政権は一〇年の間続いた。

門閥打破と情報政治

大院君が何よりも目指したものは、勢道政治を打破して王権を強化することであった。そのため、安東金氏主導の門閥政治を打破しようとし、人物本位による人材登用を行った。老論優位の政治体制を完全に打破できたわけではないが、南人と北人の官界進出が著しく増加した。また、王室は国家そのものという政治理念に基づいて、王家たる全州李氏の勢力を拡大すべく、宗室と璿派《せんぱ》(李王家の諸派)の官界進出を推し進めた。

大院君

その一方で備辺司を廃止し、本来の政務中心機関である議政府の権能を回復した。本来国防のみを司った備辺司は、壬辰戦争以降政務も行うようになっていた。国防は、朝鮮王朝初期にあった三軍府を復活して専任官庁とした。いわば、政軍を分離して各々の機能を高めようとしたのである。軍事については、中国を通じて西洋の火器技術を導入しようともしている。

大院君の人材登用は、彼自身が市井の人々

とつきあうような人物であったことを反映して、氏素性がはっきりしない者にまで及んでいた。そうした人物がもっぱら行った仕事は、情報収集と監視であった。大院君はまず、自身が直接に眼をかけた中人や胥吏を中央と地方の官庁に送り込み、官僚への監視を強めた。また、自身の家令を手足のように使って市井の情報を集めた。中でも千喜然《チョンヒヨン》・河靖一《ハチョンイル》・張淳奎《チャンスンギュ》・安弼周《アンピルジュ》の四名は有名で、世に「千河張安」といわれ、大院君の信任が厚かった。この四名の妹はみな尚宮《サングン》(女官)となり、宮中における大院君の耳目となった。大院君は宦官も取り込んで、宮中の動静を逐一把握しようとした。さらに、零細商人である褓負商《ほふしょう》(行商人)を国家的に組織化して褓負庁を設置し、そのネットワークを通じて地方官や在地両班の不正を暴こうとした。

地方勢力の排除と税政改革

在地両班勢力の最大の拠点は書院であった。書院は本来、先賢の徳を慕って学問を行う崇文実践の場であって、儒教国家の朝鮮が誇るべきはずのものであった。しかし、書院は在地士族の朋党の場になり、民衆収奪と儒生酒宴の場ともなっていた。書院は免税特権を行使するばかりか、独自に祭需銭(祭祀費用)などを民衆から徴収し、民衆教化に名を借りて民衆に私刑を行うこともしばしばであった。そこで大院君は、「民に害あるものならば、孔子が生き返ったとしても私はこれを恕《ゆる》さない」(朴齋炯《パクチェギョン》『近世朝鮮政鑑』)という断固たる覚悟で、一八六五年四月二四日、老論の牙城である万東廟を撤廃したのを皮切りに、書院に圧力を加えた。そして、在地士族の大きな反対を押し切って、七一年五月七日、ついに賜額《しがく》書院(国王直筆の額を与えられた書院)のうち四七カ所だけを残して他のすべての書院を撤廃した。また、民衆収奪をする士族に対しては厳罰に処して財産を没収した。

税制改革としては、まず量田事業を実施し、量案(土地台帳)から抜け落ちた隠田《いんでん》を再把握して税収の増大を図った。税収を不正に中間収奪する地方官は容赦なく処罰した。見せしめとして貪官《たんかん》の守令を鍾路《チョンノ》の街角で杖刑に処したことで、それ以降地方官の苛斂誅求が少なくなったといわれる(黄玹《ファンヒョン》『梅泉野録』)。また、それまで良民だけが負担していた軍布を戸布とか洞布と名を変え、その所有する奴の名義で士族からも徴収した。これは朝鮮の身分制史上、画期的な意味をもっている。軍布は軍役(徴兵)が人頭税化したものだが、軍役を負担しないというのは士族の重要な特権であったからである。こうした税制改革によって、国家財政は飛躍的に増大した。

大院君と民衆

当然税制改革に対しても、在地士族の反対は根強かった。しかし、大院君は果敢に断行した。また、服制を改革して簡素化し、両班と良民の差異を緩和した。のちに甲午農民戦争の最高指導者となる全琫準《チョンボンジュン》は、大院君を「我国従来より為し来りたる両班常人の制を廃したる」人物と評した(『東京朝日新聞』一八九五年三月五日付「東学党大巨魁と其口供」)が、それは大院君改革の民衆性に着目したからにほかならない。民衆はこうした改革を目の当たりにし、その「鼓舞して褒め称える声は地を震わすほどであった」(『近世朝鮮政鑑』)という。

大院君の改革は実にさまざまに及んでおり、官妓と娼女を厳格に区分するというような花柳界の改革にまで及んだ。多くは士族の反感だけを呼び起こすような改革であったが、逆に民衆の大院君に対する人気は絶大であった。それは民衆動員の様相を見てもよく分かる。

大院君は王権強化を象徴的にも推し進めようとして、壬辰戦争の時に焼失した景福宮《キョンボックン》の再建事業にとりかかった。この事業には大規模な民衆の賦役動員が必要であったが、民衆は自発的に賦役に応えた。工事は一八六五年五月七日に開始されたが、わずか二〇日足らずの間に三万六〇〇〇名ほどの者が動員に応じた。大院君もまた、民衆の自発性を引き出すべく、さまざまな手法を駆使している。応役者には、日に一銭ずつ慰労金を支払って物品も支給し、両班・良民の区別なく住居を提供させ、その宿舎とした。応役者を引率する村々の指導者には報奨金を支払った。また、工事上の必要から住居を撤去する場合には、厳格な査定を行って迅速に補償金を支払った。そして、応役者には「某地人子来赴役(某地の者、国王のために役務を務めにやって参りました)」と記した旗を掲げさせ、その作業を鼓舞するために、舞童隊や農楽隊を編成して舞楽を演じさせた。漢城は喧噪に包まれ、人々は苦を楽に変えて労働に励んだ。大院君の民衆掌握術はポピュリズム的性格を帯びていたが、一面で儒教的民本主義ならではの性格も併せもっていた。

しかし、景福宮再建工事はあまりに莫大な資金を必要とした。再建したとはいえ、経常の国家財政だけではとうてい竣工不能であった。そのため、大院君は貧富に応じて半強制的に願納銭を募り、ソウルの都城門には門税を課した。そして、実価の二〇分の一にもならない当百銭という悪貨を流通させて資金調達を図った。願納銭はとりわけ両班や富民に怨嗟を引き起こした。また、当百銭はインフレをもたらしたため、大院君政権最大の支持基盤である民衆の生活をも逼迫化させた。景福宮再建工事は、大院君失脚の大きな一因となった。

2　大院君の攘夷政策

大院君は対外政策としては鎖国攘夷政策を頑強に貫いた。その手始めは天主教の弾圧であった。

天主教弾圧

一八三一年ローマ教皇庁は、それまで北京教区に属していた朝鮮教区を独立させ、パリ外国伝道会の所属とした。そのため、以後フランス人宣教師が朝鮮国内に密入国して秘密裏に布教活動を行うようになっていた。

こうした中、英仏連合軍が北京に入城して朝鮮の上下が騒然となった一八六〇年、清国より沿海州を割譲されたロシアは、朝鮮と国境を接するようになった。豆満江からは、対岸にコサック騎兵隊が疾駆するのが目撃されるようになり、またロシア船も出没するようになった。一八六四年四月には、ついにロシア人五名が咸鏡道慶興《キョンフン》に来て、通商要求をする事態となった。ロシア人は、翌年一二月にも数十名で来ている。

こうした対外的危機を背景に、前官員の天主教徒南鐘三《ナムジョンサム》は、執政したばかりの大院君に英仏両国と同盟してロシアの南進を防御すべきであるという進言を行った。実は、大院君の妻閔《ミン》氏は天主教に帰依しており、高宗の乳母朴《バク》氏に至っては天主教の洗礼を受けていた。南鐘三の上申は、両人と通じていた天主教徒洪鳳周《ホンボンジュ》からの提言に基づくものであった。大院君は、一時は南の進言に心動かされ、フランス人宣教師のベルヌー司教やダヴリュイ司教らに会おうとしたが、すぐに心変わりを起こした。かえって天主教徒を弾圧することを決意し、一八六六年二月からそれに着手した。フランス人宣教師は九名が処刑され、朝鮮人信徒に至っては、一説に一万名近くが処刑されたという。いまだかつてない朝鮮史上最大の宗教弾圧であった。これを丙《へい》寅《いん》教獄という。

丙寅洋擾　だが、フランス人宣教師のうち三名が逮捕を免れた。そのなかの一人、神父リデルは天津のフランス公使館に逃れ、救援を要請した。それに応えて、フランス公使ベロネーは極東フランス艦隊提督ローズと協議し、朝鮮への遠征を決めた。ベロネーは清国の実力者恭親王に朝鮮征服にさえ言及したほどであり、ローズ艦隊の任務は重大であった。ローズはまず、一八六六年九月に軍艦三隻を率いて威力偵察を行い、一〇月一三日に軍艦七隻を率いて再び江華島《カンファド》に現れた。そして、翌日から陸戦隊の上陸を開始し、一六日には漢城の入口である江華府《カンファブ》をたやすく占領し、漢江《ハンガン》を封鎖すること二〇日以上に及んだ。三南《サムナム》(全羅道・慶尚道・忠清道)から漢城へ向かう貨物船は運航を阻止され、漢城は窮迫の色を濃くした。ローズは、フランス宣教師への迫害を問罪すると同時に、通商条約の締結を軍事力に訴えて達成しようと考えていた。しかし、大院君は屈することなく、義勇兵や腕に自信のある猟師を集め、フランス軍に挑んだ。その結果、フランス軍は時に朝鮮兵以上の犠牲者を出した。二六日の文殊山《ムンスサン》の戦闘では、朝鮮側戦死傷者五名に対してフランス軍は二七名の死傷者を出している。朝鮮に残された二名のフランス人宣教師が自力脱出したという情報を入手したこともあり、一一月一一日ローズ艦隊は朝鮮から撤退した。

ベロネーの朝鮮征服発言はフランス政府の意を受けたものではなく、フランスは多くの犠牲者を出してまで朝鮮に触手を伸ばす意志はなかったものと見える。しかしローズ艦隊は、一八箱に及ぶ金銀財宝や貴重図書を略奪し、江華城内外の人家を焼き払って多くの損害を与えた。

一八六六年は多難な年であった。丙寅洋擾《へいいんようじょう》である。アメリカの冒険商人プレストンが武装船ゼネラル・シャーマン号に乗り、中国の天津を出発して大同江《テドンガン》に進入するという事件も起きている。シャーマン号にはイギリス聖公会宣教師トーマスも乗っており、その目的は通商と布教にあった。八月、大同江に現れたプレストン一行は大同江を遡航し、朝鮮軍人一人を人質に取った。これに対して、平安道観察使の朴珪寿は火攻を命じ、シャーマン号を焼き払った。そして、激昂した群衆は一行二〇名を殺害してしまった。九月のことである。

辛未洋擾

次いで一八六八年五月には、ドイツ人商人オッペルトと、六六年に朝鮮から脱出したフランス人宣教師フェロンが共謀し、大院君の父南延君《ナミョングン》の墓を暴くという前代未聞の事件を起こしている。通商と布教のために南延君の遺骨を政治利用しようとしたのである。忠清道の徳山郡《トクサングン》九万浦《クマンポ》に上陸した一行は、南延君墓までたどり着いたが、墓が堅固であったため暴くことができず、撤退した。その後、北上して永宗鎮《ヨンジョンジン》に現れたオッペルトは通商を要請したが、戦闘状態となり、フィリピン人船員二名の屍を残して撤退した。

父の墳墓を暴かれようとした大院君の攘夷の怒りは、いかばかりだったであろうか。大院君は防備を固めてさらなる攘夷に備えたが、次に挑んできたのはアメリカであった。シャーマン号事件の問罪と、やはり通商条約の締結が目的であった。駐清特命全権公使のローは、旗艦コロラドに乗り、ロジャース海軍少将が指揮する軍艦五隻、大砲八〇門、兵一二三〇名を率いて、一八七一年五月二三日、京畿道の南陽府《ナミャン》に現れた。辛未《しんび》洋擾の始まりである。六月一日、ロジャースは軍艦を分派して本土と江華島海峡水路を北上させたので、朝鮮軍は砲台から砲撃を加え、砲撃戦となった。次いで一〇日から一一日にかけて、アメリカ軍は、陸戦隊によって朝鮮側の砲台を次々と占領していったが、最後の砲台である広城堡《クァンソンボ》では激戦となった。鎮撫中軍魚《オ》在淵《ジェヨン》が指揮する朝鮮軍は、砲力で圧倒するアメリカ軍を相手に白兵戦にまでもち込み、アメリカ軍は死者三名、負傷者一〇名を出した。

しかし、朝鮮軍は指揮官魚在淵をはじめ死者五三名、負傷者二四名の犠牲を出している。アメリカ軍側の記録では、戦死者、溺死者を合わせて朝鮮軍側の被害は死者四〇〇名以上にも及んでいる。正確なところは分からないが、いずれにせよ大変な激戦であり、これはロー公使にとってもロジャース少将にとっても意外なことであった。彼らはペリー提督の日本遠征の故事に倣うつもりで朝鮮にやってきており、朝鮮側の攻撃がかくも激しいものになるとは予想していなかった。ここに、アメリカ艦隊は撤退を決意し、七月三日朝鮮を後にした。

衛正斥邪思想の峻烈さ

広城堡の戦闘直後、大院君は「洋夷侵犯、非戦則和、主和売国、戒我万年子孫（洋夷が侵犯しているのに、戦わないのであれば和することである。和を主とするのは売国の行いである。このことを万年の子孫に戒める）」と書いた斥和碑を、漢城の鍾路と全国の都会地に建てさせた。朝鮮の攘夷精神は、日本と比べてみると興味深い。日本において、薩摩と長州がそれぞれ薩英戦争（一八六三年）と四国艦隊下関砲撃事件（一八六四年）であっけなく屈しているのとは、対照的である。崇文の国であることを自負する朝鮮が、かえって、武威の国であることを自負する日本以上に頑強な抵抗を見せたというのは、両国の文明意識の違いと

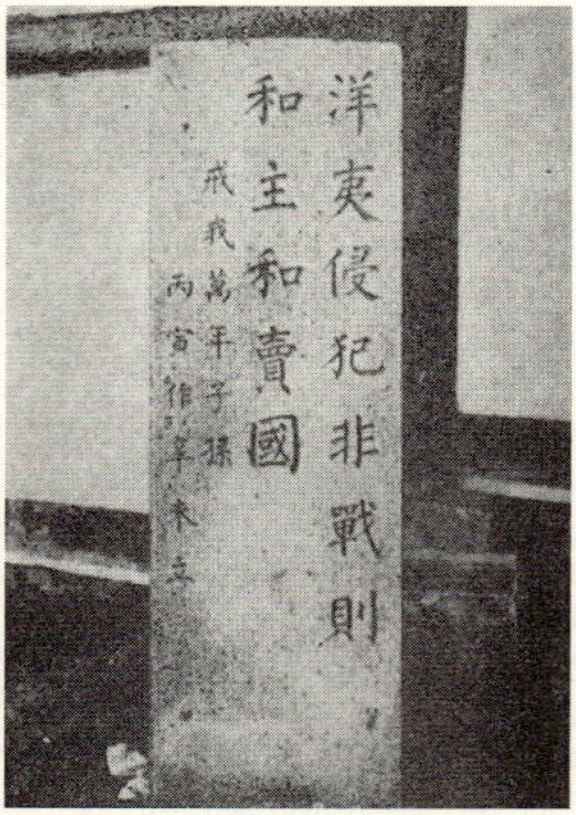

鎖国政策の象徴として大院君が建てた斥和碑(1871)

大いに関わっている。

大院君の鎖国攘夷政策を支えた思想は、衛《えい》正斥邪《せいせきじゃ》思想である。大院君は著名な朱子学者を登用し、政策を述べさせた。奇正鎮《キジョンジン》や李恒《イハン》老《ノ》が有名であるが、彼らは丙寅洋擾に際してそれぞれ上疏している。奇正鎮は西欧が朝鮮を禽獣のような国にしようとしていると見て、「洋物」を断固拒否すべきであるとした。また、李恒老も「洋物」の拒否を訴え、断固とした主戦論を唱えた。とくに李恒老は、聖賢の「道」を守ることこそ、「国」の存亡を超えた絶対的な行為であるとして、儒教文明の絶対護持を峻烈に説いた。このことは、現実の朝鮮王朝が尊いのは「道」の実践を行っているからであり、その実践を放棄するならば、そうした王朝は意味がないということを意味する。

こうした思想は、日本の「国体」思想とはまるで違っている。日本では「国体」思想の台頭によって「国」が絶対化されたがために、「道」は二義的なものとなり、西欧化への転回が容易にできた。西欧への徹底抗戦は「国」を滅ぼすことにしかならない。西欧にかなわないと認識されるやいなや、尊攘論が開国論に急転回した秘密はここにある。それに対して朝鮮では、

「国」を滅ぼしても「道」に殉ずることこそが、人倫の正しい行為とされた。これが儒教原理国家ともいえる朝鮮の現実であり、仏米への徹底抗戦を可能にさせる理由であった。

3　日朝修好条規の締結

閔氏政権の成立

高宗の妃は、大院君夫人の実家である閔《ミン》氏から迎えた。閔妃《ミンビ》(のちの明成皇后《ミョンソンファンフ》)は閔《ミン》致録《チロク》の娘で、致録の継嗣となった養子の升鎬《スンホ》は大院君夫人の実弟であった。驪興《ヨフン》閔氏は権勢の弱い家門であったので、安東金氏による勢道政治の再来を恐れた大院君の思惑が働いた。しかし、これは大きな誤算であった。聡明さと権勢欲、権謀に長けた閔妃は、閔氏戚族と組んで大院君の失脚を企んだ。また、大院君と高宗の親子関係も決して円満なものではなく、成人していた高宗は親政を望んだ。

閔妃と閔氏戚族が利用したのが、李恒老の高弟崔益鉉《チェイッキョン》である。崔益鉉が一八七三年一二月一四日、上疏して反大院君の旗印を鮮明にしたからである。閔妃の意を受けて高宗は、崔益鉉を大抜擢して戸曹参判(次官相当)とした。果たして崔益鉉は、同月二二日辞職覚悟で再び上疏し、大院君の国政への関与を批判して下野すべきことを主張した。今回ばかりは、その激烈さゆえに、崔は済州島へ流配されることになった。しかし、この上疏を梃子にして閔妃と閔氏戚族は大院君を失脚させることに成功した。ここに、高宗は七三年一二月二四日、時原任(現任と前任)大臣を前にして庶政親裁を宣言する。大院君は穏棲のやむなきに至った。

新政権は、まず議政府を刷新し、有力政治家の李裕元《イユウォン》を領議政とした。そして、開国派の朴珪寿を右議政とし、大院君の兄でありながら不仲であった李最応《イチェウン》を左議政(のち領議政)とした。脆弱な家門の閔氏戚族は、まずはこうした人物を後ろ盾とするしかなかったが、実権は兵曹判書(長官)の閔升鎬が掌握し、新たな勢道政治が始まった。しかし、彼自身はわずか一年後の七五年一月五日に、家族もろともに爆殺されてしまう。大院君の仕業とも閔氏戚族内部の内輪もめともいわれ、真犯人は不明だが、閔氏の勢道政治は揺るがなかった。

新政権は、万東廟を復活したのを手始めに、大院君の政策をことごとく否定したが、わけても攘夷政策の転換は必至であった。明治新政府からの書契を窓口段階で拒絶したのは倭学訓導安東晙《アンドンジュン》だが、彼は大院君の家来のような立場でそれを断行した。新政権は、日朝交渉を阻害したとして安東晙を査問にかけ、梟首に処した。また、彼を監督する立場にあった東萊《トンネ》府使鄭《チョン》顕徳《ヒョンドク》と慶尚道観察使金世鎬《キムセホ》も更迭した。

衛正斥邪思想は、儒教原理国家の朝鮮にあって絶大な影響力をもってはいたが、必ずしも絶対ではなかったということである。ここにおいて現実路線が模索されていく。

明治新政府と「征韓」論争

一八七一年一一月一二日、日本では岩倉使節団が欧米へと旅だった。留守政府は身分制の撤廃や徴兵制の実施、学制頒布、太陽暦採用などさまざまな近代的改革を実施したが、外交面でも積極的に動いた。七二年九月にそれまで対馬藩の管轄下にあった草梁《チョリャン》の倭館を接収して大日本公館とし、翌年四月に外務省七等出仕の広津弘信を着任させたのは、その一例である。前例を一方的に排された朝鮮政府は衝撃を受け、日朝間には今までにない緊張が走った。そして、これが「征韓」論争の引き金となった。

留守政府は、同年八月一七日に事態打開のため西郷隆盛を朝鮮に派遣することに決した。西郷は、自らが使節として朝鮮に乗り込めば、自身が「暴殺」されるのは必至だから、それを名分として「征韓」の師を挙げるべきだとした。西郷が「征韓」の急先鋒のようにいわれる所以である。しかし、実際には西郷が望んだのは、あくまでも平和的な遣韓使節としての任であり、「暴殺」云々は熱心な「征韓」論者の板垣退助などを説き伏せるためのレトリックであったようである。

その真相は今もって不明であるが、いずれにせよ、このことは留守政府要人と帰国した岩倉使節団要人との間に緊張を生じさせた。前者が「征韓」派、後者が内治派とされ、「征韓」派は敗れ、一〇月二四〜二五日に一斉に下野した。しかし両者の対立は、力の均衡を失ったがゆえに引き起こされた権力闘争でしかなかった。使節団グループは、留守政府に顕著な実績を上

雲揚号　1875年9月，江華島を攻撃し，略奪をほしいままにした

げられ、政府内で存在感が薄れるのを恐れた。「征韓」論を主張する点において両者に違いはなかった。何よりも「征韓」論は内治派の木戸孝允が幕末段階に熱心に説いていたものである。そして、「征韓」論争に勝ち、内務卿として絶大な権力を握った大久保利通は、朝鮮に対して強硬路線を進めていく。

その手始めは七四年五月の台湾出兵である。同年八月には、清国政府から、台湾事件が解決次第、日本は朝鮮にも出兵するかもしれないという風聞がもたらされた。そこで朝鮮政府は、同年九月三日、安東晙に替わって玄昔運《ヒョンソグン》を倭学訓導とし、広津弘信の上司として六月に旧倭館に着任していた外務省六等出仕森山茂と正式会談させることにした。閔氏政権は、すでに開国論の方に傾き始めていた。

江華島事件

しかし日本側には、「皇」「勅」などの字を記した書契の形式を変える考えは全くなかった。しかも、旧例とは違って森山は洋式大礼服を着用することに固執した。ここで、交渉は難所に乗り上げてしまった。森山は広津を上京させ、鎖国派が勢いを増さないうちに交渉を一挙に有利に進めるべく、軍艦の派遣を求めた。朝鮮を威圧しようとしたのである。そこで一八七五年五月二五日、井上良馨少佐が率いる雲揚号が釜山《プサン》に派遣された。雲揚号は、不意の来航を詰問する玄昔運とその随員一八名を乗艦させ、それを好機に、遅れて来航した第二丁卯号とともに砲撃演習を行い、釜山の官民を震撼させた。しかし、朝鮮側は書契の形式になおこだわり、交渉は進展しなかった。そのため九月二〇日、ついに森山は公館を退去することになり、翌日帰国の途に着いた。

ところが、時を同じくして大事件が起きた。江華島事件である。九月二〇日、雲揚号は航路測定を名目に再び朝鮮に出向き、江華島に出没した。艦長の井上は、ボートに乗って草芝鎮《チョジジン》に接近しようとしたところで、砲台より攻撃を受けた。井上は急遽雲揚号に戻り、翌日草芝鎮を攻撃し、砲台を焼き払った。さらに、二二日には南下して永宗島《ヨンジョンド》を占領し、朝鮮の軍民三五名を殺害した。そして、官衙や民家を焼き払い、大小砲などの武器類を戦利品として鹵獲《ろかく》し、二八日に長崎に帰着した。

この事件は、飲料水を求めて草芝鎮に向かおうとしたところ、不意に攻撃されたというように事実が捏造された。雲揚号の江華島接近は明らかに「万国公法」＝国際法に違反していたが、飲料水の補給ならば、「万国公法」で認められる場合があったからである。雲揚号は最初から朝鮮軍を挑発し、反撃を期して領海侵犯したのである。森山の公館退去とあわせて行われたこの軍事行動は、日本の野心を露骨に見せつけたものであった。井上は雲揚号事件の前、他国に先んじて朝鮮を「我有」にすべきことを海軍中央に具申していた。

江華島談判

日本政府は、江華島事件を絶好の口実に、一挙に朝鮮との国交回復を実現しようとした。雲揚号の非を認めるのではなく、かえって朝鮮側の非をとがめて条約を締結しようという算段である。政府は全権大使に黒田清隆、副全権に井上馨を任命して、朝鮮に派遣することにした。それに先だって、駐日アメリカ公使のビンガムもそのことに理解を示し、井上馨に『ペリーの日本遠征小史』を送っている。また日本政府は、会談が不首尾に終わった場合のために、陸軍卿山県有朋を下関に詰めさせ、いつでも軍隊を朝鮮に派遣できるような態勢を敷いた。

こうして一八七六年二月一〇日、黒田一行は軍艦六隻を率いて江華島に現れ、兵員四〇〇〇名と号した。まさにペリーの故知に倣うような威圧外交である。会談は早速翌日より行われたが、朝鮮側の接見大官申櫶《シンフォン》と副官尹滋承《ユンジャスン》は「万国公法」に対して何ら知識を有せず、条約の何たるかも知らなかった。

攘夷か開国か

こうした条約交渉のあり方に衛正斥邪派は不満をもった。その代表は大院君と崔益鉉である。大院君は申櫶に書簡を送って戒めの言葉を述べるとともに、政府大臣らに対して軟弱外交を非難した。下野したとはいえ、大院君の影響力はなお政府要人に及んでいた。そこでは、国に殉ずる覚悟まで述べられていた。また、前年に流配を解かれていた崔益鉉も、二月一七日に同志五〇名を率い、斧を持って伏閤上疏(王城門での上疏)した。斧を持って上疏するというのは、上疏が受け入れられなければ自身の首をはねよという、士＝ソンビとしての並々ならぬ覚悟を示すものであった。その上疏には「倭洋一体」論が説かれ、「主和売国」をなす者は処刑すべきであるとまで述べられていた。両人はかつて、敵対してはいたが、対外政策では一致していた。崔益鉉はこのことで再度罪に問われ、全羅道黒山島《フッサンド》に流配された。

一方、開国派の勢力も増大していた。自主開国論を主張する朴珪寿は、その急先鋒であった。彼は、実学者朴趾源の孫として開明的であっただけでなく、かつて二度清国へ使節として行った経験をもち、世界の大勢に通じていた。彼はすでに江華島事件より一年前、右議政を退いていたが、なお判中枢府事という役職にあって政府内で重きをなし、重臣会議にも列席していた。また、李最応を筆頭とする反大院君派は、消極的に開国論を支持した。さらに、清国洋務派の巨頭李鴻章と書簡をやりとりしていた李裕元も、その示唆を受けて開国論に傾いていた。朴珪寿を含め、一様に日本の威圧外交に憤慨しはしたが、廟議(御前会議)では開国やむなしの議論が大勢を占めた。

日朝修好条規

こうして、高宗は日本との条約締結を決意するに至る。しかし「万国公法」に通じていなかったことはいかんともしがたかった。条約は、日本側の提示した案を主に儀礼的な側面について修正しただけで二月二六日に調印された。これが日朝修好条規（江華島条約）である。同年八月二四日には、修好条規付録と通商暫定協約、「修好条規付録に付属する往復文書」なども調印された。

これらの条約で何よりも重要なことは、修好条規第一款に「朝鮮国ハ自主ノ邦」と当たり前のことを明記した点である。これは朝鮮に対する清国の宗主権を否定し、日本の朝鮮進出を円滑にしようという狙いをもつものであった。次いで、日本の治外法権が定められ、朝鮮の関税自主権を否定したことが重要である。このことは、これらの条約が欧米各国が日本と調印した不平等条約をそのまま朝鮮に適用したものであったことを意味する。いや、それ以上に過酷な内容であったというべきであろう。関税自主権どころか、関税は無税とされ、さらに日本は日本貨幣の流通権まで獲得したのである。そして日本は、米穀貿易の自由、釜山のほか元山《ウォンサン》と仁《イン》川《チョン》を開港すること、開港場から四キロメートル以内での内地通行権、朝鮮沿岸の測量権なども獲得した。朝鮮はここに、世界資本主義体制に組み込まれるに至った。

ただし、朝鮮側は日本以外とは条約を締結する意志のないことを明言しており、修好条規の締結は、近世外交が修復されたものだという認識をもっていた。治外法権などは近世の倭館外交ですでに対馬藩に認めていたものであったため、不平等という認識は朝鮮側には全くなかった。それゆえに、苦々しくはあるが、条約を強制されたという認識も希薄であったといえよう。

世界と朝鮮の距離はかくも隔たりを見せていた。

日本の世論

日本では「征韓」論争以来、「征韓」論は徐々に巷でも議論されるような事態となっていた。不平士族だけでなく、商人でさえも「征韓」を議論するような風潮であった。こうした中、江華島事件が起こるのだが、国論は「征韓」派と非「征韓」派に分裂した。それは自由民権運動陣営にあっても同じであった。民権派は当初、一様に日本軍艦の朝鮮への領海侵犯の責を問うていた。ところが一八七五年一〇月三日、朝鮮側が発砲したのでやむを得ず応射したという太政官達による説明に接すると、民権派の議論は「征韓」をめぐって二つに割れた。『東京曙新聞』や『横浜毎日新聞』は「征韓」支持で、『朝野《ちょうや》新聞』や『郵便報知新聞』は「征韓」不支持であった。

しかし、そうした議論は「征韓」そのものの道義性を問うようなものではなかった。士族反乱を防ぐのに「征韓」が有効であるかないかを論ずるにすぎなかった。後者の場合、「征韓」がかえって士族勢力の拡大をもたらすという観点に立っていた。いずれにせよ、江華島事件によって国交への道が開かれ、修好条規が締結されたことについて、民権派は賛意を示した。条約締結がペリーの手法と同じだということを認識してはいたが、その不法をなじるような議論はなかった。近代文明に先んじた日本が朝鮮を指導する立場に立ったことを歓迎する論調が目立った。

日本は、明治の初年以降しきりにアジア主義を唱えた。とりわけ、政府と鋭く対立した自由民権運動の陣営にあっては、民権論とアジア連帯が連続するものとして捉えられていた。しかしそこには、国権論も見え隠れし、近代文明に先んじたアジアの指導国という傲慢な意識が濃厚に随伴していたのである。

第三章　開国と壬午軍乱

壬午軍乱を伝える錦絵（小林清親「朝鮮大戦争之図」1882 年 8 月）

1 開化と斥邪

修信使の来日

一八七六年五月、修信使金綺秀《キムギス》が日本に派遣された。修信使は、日本側の要請を契機に派遣されたが、新生日本の情報収集と軍事技術の見聞を重要な任務として帯びていた。近世の通信使は、将軍の代替わりごとに派遣されていたのに対して、今回の使節はそれとは性格が違うために修信使とされた。一行の人員も少なく、八〇名ほどであった。しかし意識としては通信使と変わらず、令旗手や音楽隊などの儀仗を司る随員が三〇名ほどにも上った。修信使一行は、五月二三日から六月一九日にかけて日本を見聞した。

朝鮮使節が東京(江戸)にまで来るのは、第一一回通信使以来実におよそ一〇〇年ぶりのことである。沿道には人々が雲集して大変な騒ぎとなったが、それは決して歓迎の意からではなく、新奇な朝鮮風俗を一目見て楽しもうとする、侮蔑的な好奇心からするものであった。人々は、前時代的な行列を組んで練り歩く修信使の行列を指さしながら嘲笑した。近世においても、日本民衆の間に朝鮮への侮蔑的な認識がなかったわけではないが、朝鮮物ブームを呼び起こすに足る憧れのような感情が優先していた。しかし明治に入って、侮蔑観はにわかに増幅されていった。文明開化が進行する中で、すでに近代的文明人としての優越した意識が、少なくとも「江戸っ子」の心性を支配するようになっていた。傲慢な自画像は政府や知識人だけのものではなかった。

横浜に到着した修信使一行(『イラストレイテッド・ロンドン・ニュース』1876. 8. 26)

こうした民衆の反応に対して、かえって民権派は健全さを発揮している。たとえば『大阪日報』(一八七六年六月九日付)は、そうした民衆に失望感を露わにし、「日本人民ノ未タ野蛮ナルコト朝鮮ニモ及バザルヲ嘆」くとした。また『近時評論』(一八七六年六月一六日付)も、衆人と思想を同じくできないとし、「ひとり天を仰いで浩歎し声を呑んで痛哭」するとした。もっとも、やはり朝鮮への優越意識は濃厚であった。非「征韓」派の『郵便報知新聞』(一八七六年五月三一日付)は、今の日本の朝鮮に対する立ち位置は二〇年前アメリカが日本に対したのと類似しており、「頗ル心意ヲ悦ハシムルモノアリ」として、その優越意識を隠さなかった。

実は、民衆の中には朝鮮といってもよく分からず、飴売りを連想するような素朴な人々もなお多くいた。しかしそうした人々の存在も、文明開化の荒波は急速に洗い流していく。

第二次修信使金弘集と『朝鮮策略』

金綺秀一行は、日本の文明開化を目の当たりにして驚きを禁じ得なかった。しかし、近代の学知にさほど関心がない彼らには、文明開化は必ずしも肯定されるべきものではなかった。金綺秀は日本の「富強」ぶりを認めながらも、物価が騰貴して大量の紙幣発行が行われている状況を見て、外見は「莫富莫強」でも、「その制をよく見れば、やはり長久の術ということはできない」(『日東記游』『修信使記録』)とした。

金綺秀は、日本の現状視察という重要な任を帯びていたが、その任を適切に果たしたとはいえない。そこで再度修信使を送ることが提起され、それに任命されたのが金弘集《キムホンジプ》である。金弘集一行は、一八八〇年七月三一日に釜山を発ち、九月八日帰国した。その間、政府要人と会談したり、官庁視察や諸制度の調査などを行った。そうした中で、わけても重要な出来事は、駐日清国公使の何如璋と会談したことである。金弘集は何如璋から、ロシアの脅威や、欧米各国との国交締結、そして「自強」の重要性などを説かれた。「万国公法」には「均勢」の論理があるから世界に門戸を開くべきだというのである。その際に送られた冊子が、駐日清国公使館参賛黄遵憲《こうじゅんけん》執筆の『朝鮮策略』である。そこには、「朝鮮今日の急務は、ロシアの進出を防ぐことであるが、その策は何かといえば、中国に親しみ、日本と結び、アメリカと連携することによって、自強を図っていくことである」と書かれていた。

開化派の形成

金弘集の日本訪問では、思わぬ出会いもあった。金玉均《キムオッキュン》の命を受け、日本に密かに派遣されていた僧侶李東仁《イドンイン》との邂逅である。金玉均とはいうまでもなく、のちに甲申政変を起こすことになる開化派の巨頭である。彼は開国派の朴珪寿の弟子であった。

朴珪寿は右議政を退いて以降、漢城の自邸に金允植《キムユンシク》・金玉均・朴泳教《パクヨンギョ》・朴泳孝《パクヨンヒョ》・洪英植《ホンヨンシク》・徐《ソ》光範《グァンボム》・兪吉濬《ユギルジュン》などの俊英を集め、祖父朴趾源の文集『燕岩集』を講じる傍ら、世界の大勢や西欧の思想についてその知見を伝えていた。彼が切り開こうとしていた平等思想は、確実に若者の心を捉えていった。金弘集も彼の家の近くに移り住み、影響を受けている。金弘集は金玉均とも幼なじみであった。そうした中にあって、金玉均は突出した行動力をもっていた。彼は、朴珪寿の随員として清国に行ったことがある、中人出身の訳官呉慶錫《オギョンソク》と、その友人である同じく中人出身の医者劉大致《ユデチ》にも接触し、その影響を受けている。朴珪寿とともに清国で見聞を広めた呉慶錫は、多くの漢訳西欧書籍を買い求めてそれを劉大致に伝え、劉大致は呉慶錫ともども、さらにそれを金玉均に伝えた。劉も金も仏教に関心があり、それが機縁となったものらしい。時に金玉均数え年二〇歳(一八七〇年)頃のことである。

儒教原理主義の朝鮮王朝時代には、仏教は排撃され、寺院などは山の中に追われた。僧侶も賤民とされた。朝鮮の開化思想は、思わぬ誕生の仕方をしている。それは、実学をベースに西欧思想が受容され、さらに仏教がその触媒の役割を果たしたことによって、内在的に生成されたものであった。

李東仁と日本

こうして開化思想は、江華島事件以前にすでにその芽を吹き出していたが、江華島事件はその生成を加速させた。訳官として申櫶と尹滋承の部下となり、日本との条約交渉に関わった呉慶錫は、金玉均に日本事情について説明し、日本視察が緊要であることを提起した。ここに金玉均は、劉大致の紹介で知り合った漢城近郊にある奉元寺《ポウォンサ》の李東仁に日本視察を要請した。李東仁は、修好条規締結後いち早く朝鮮に進出した本願寺の釜山別院を通じて世界事情を研究していた。日本行は李東仁も望むところであった。彼は、すでに弘文館校理の役職にあった金玉均が賤民である自身に対等に接してくれたことにも感謝して、それを快諾した。旅費と資金は、金玉均が私財の一部を処分して用意した。

李東仁は一八七九年六月に京都の本願寺に入り、翌年四月には東京の本願寺所属の浅草別院に逗留し、日本語学習の傍ら日本事情を研究した。そして、福沢諭吉とも接触した。開化派と福沢との最初の出会いである。このような日本事情に通じた人物に出会って、金弘集の驚きはどれほどであったであろうか。彼は李東仁に帰国を促し、近代的改革への尽力を求めた。

改革と斥邪上疏

金弘集や李東仁の報告は、いやが応にも改革気運を高めた。政府は一八八一年一月一九日、三軍府を廃止して統理機務衙門を設置した。これは、事大・交隣・軍務・辺政(隣国偵探)・譏沿(往来船舶照検)・通商・理用(財務)・機械・軍物・船艦・典選(人材物資調達)・語学(外書翻訳)の一二司からなり、文字通り軍国機務の最高官庁である。新衙門の首座は総理大臣と呼ばれ、領議政の李最応が就いた。これは清国の総理各国事務衙門を模倣したものではあったが、近代世界システムへの朝鮮なりの布石であった。

軍制改革としては、日本の勧告によって、同年五月、八〇余名からなる新式軍隊別技軍を創設した。駐朝弁理公使花房義質《よしもと》の推薦で、公使館付きの陸軍工兵少尉堀本礼造が教官となり、修信使金弘集に随行した尹雄烈《ユンウンニョル》がその指揮に当たった。また八二年二月、従来の五軍営を武衛営・壮禦営の二営に統合してスリム化を図った。

しかし、金弘集が持ち込んだ『朝鮮策略』は、それ以上の改革を踏みとどまらせるほどの大きな波紋を呼び起こした。『朝鮮策略』の説くところは国家の一大事に属するものであったため、この冊子は広く伝播されたが、衛正斥邪派はこれを見過ごしにはしなかった。果たして、一八八一年三月二五日、慶尚道礼安《イエアン》儒生李晩孫《イマンソン》を筆頭とする嶺南《ヨンナム》万人疏がなされた。その内容は『朝鮮策略』を持ち帰った金弘集を非難するとともに、黄遵憲を「日本の説客」となじるものであった。斥邪上疏はその後もやまず、五月に入ると、慶尚道・京畿道・忠清道からの上疏が立て続けになされた。政府はこれに対して、激烈なものには流配などの厳しい対応をした。にもかかわらず、その決死的な上疏を容易にやめさせることはできないと見て、それをなだめるべく五月一五日、斥邪綸音(王の言葉)を発した。

この時期には、開化を主張する上疏も行われている。一八八一年七月、司憲府前掌令の郭基《クァクキ》洛《ラク》が衛正斥邪論を批判し、日本との通商や洋学の学習は禁止されるべきではなく、むしろ国のためには西欧の器械や技術を導入すべきだとしたのは、その代表的なものである。しかし、斥邪上疏の前にそれは、か細い声でしかなかった。

李載先事件

斥邪上疏は八月に入ってもやまず、京畿道・江原道《カンウォンド》・忠清道・全羅道から来た儒生の伏閤上疏が相次いだ。中でも、江原道の洪在鶴《ホンジェハク》の上疏は激烈であった。朝鮮国主和の邪説が政府にはびこっているとして、公然と政府大臣を誹謗するものであった。洪在鶴はこのことで凌遅《りょうち》刑(身体をばらばらにして殺す処刑)に処せられた。時に三三歳であった。また、彼を指嗾《しそう》したとして、李恒老の弟子である金平黙《キムピョンムク》も流配に処せられた。上疏を書いたのは、実は金平黙であった。

こうした中、元気づいたのは引退を余儀なくされていた大院君である。彼は、腹心の安驥永《アンギヨン》や権鼎鎬《コンジョンホ》などに命じて、自身の庶子李載先《イジェソン》を国王にすべくクーデターを計画した。当初は大規模な募兵も行おうとしたが、うまくいかず、一八八一年九月一三日を期して挙事することにした。その日行われる科挙試で応試者に斥邪を訴え、一挙に宮中に乱入して高宗を廃し、閔妃も処分しようという計画である。しかし、挙事までには至らず、一週間後の九月二〇日、密告によって計画は露見した。安驥永と権鼎鎬は凌遅刑に処され、李載先は自死を命じられた。

2　第二の開国

領選使の派遣

清国の李鴻章は、李裕元との個人的な書簡の往復を通じてしきりに欧米諸国への開国を勧告していた。そこで朝鮮政府は、李鴻章の仲介でアメリカとの修好通商条約の締結に踏み切ることに決した。条約交渉の任に就いたのは、朴珪寿の弟子金允植である。彼は、近代兵器の製造伝習を目的とした留学生三八名を引率する領選使の任を帯びて、一八八一年一一月一七日、李鴻章がいる天津に向かった。しかし、それは表向きの任で、より重要な任務はアメリカとの修好通商条約の締結であった。衛正斥邪派が勢いづく朝鮮では、条約交渉に支障をきたす可能性があったからである。天津にはアメリカ政府の命令を受けた海軍提督シューフェルトが待ち構えていた。

交渉において最ももめたのは、清国の宗主権を条約文に入れるか否かという問題であった。李鴻章は「属邦」規定にこだわったが、金允植もそれにあえて反対する意志をもたなかった。

というのは、清国の「属邦」ではあっても、朝鮮は内政と外政については「自主」であるという認識が李鴻章と金允植の間で共有されていたからである。李鴻章は、原理的にはあくまでも近代西欧的な属国支配の道を拒否し、伝統的な宗属関係の枠組みを維持しようとしていた。それは、日本やロシアなどの朝鮮への圧力強化を牽制するという現実的な意味においても、当然のことであった。一方、金允植の場合は、朝貢体制と条約体制の均衡共存の下に朝鮮の小国自立の道を構想した。いわば二重体制ともいえる自立構想であるが、それは伝統的な「事大の義」にも背かず、現実世界の大勢にも抗わない、朝鮮にとっての「両得」だと理解された。

しかし、シューフェルトはこうした考えを理解しようとせず、「属邦」規定は盛り込まれないことになった。日朝修好条規と同じく朝鮮は自主の国であることが明文化された。また、朝米修好条約には関税条項が設けられ、日本との無関税規定はこれによって撤廃されることになった。もっとも、治外法権規定があるのは同様であり、不平等条約であることに変わりはなかった。条約は八二年五月二二日、仁川にところを移して正式調印された。

諸条約の締結

朝鮮の近代世界への開国は、正式にはこの日をもって始まったといえる。日本との条約締結は、朝鮮にしてみれば近世外交の修復でしかなかったからである。

朝鮮は一八八六年までに、清・英・独・伊・露・仏と矢継ぎ早に条約を締結した。以後、このうち、八二年一〇月四日、清国との間に結ばれた朝清商民水陸貿易章程は、「朝鮮は久しく藩邦に列す」として清国の宗主権を明文化したものであり、「属邦」規定がない欧米との条約と矛盾していた。それはまさに、朝鮮が二重体制下に置かれていたことを示唆するものであった。

また、八六年六月に結ばれた朝仏修好通商条約では、事実上布教の自由が認められた。フランス人宣教師は、丙寅教獄の後も朝鮮に密入国して布教活動を行っていた。しかし閔氏政権下では、それは黙認された。これをさらに既成事実化するために、フランスは条約文中に「教誨」という文字を挿入することに成功し、これを事実上の布教の承認と読み換えたのである。以後、キリスト教の布教活動は活発化していく。

朝士視察団

開国政策は着々と進んでいった。領選使の派遣に先立ち政府は、日本の文物・制度を詳しく調査する目的で、朝士視察団(紳士遊覧団)を日本に派遣した。李東仁の献策によるところが大きかったようである。しかし、一行に先立って一八八一年三月に日本に行く予定であった李は、その直前に何者かに暗殺されてしまった。

朝士視察団は、朴定陽《パクチョンヤン》・趙準永《チョジュニョン》・厳世永《オムセヨン》・姜文馨《カンムンソン》・閔種黙《ミンジョンムク》・李𨯶永《イフォニョン》・魚允中《オユンジュン》・洪英植など一二名の朝士と二七名の随員、その他二三名からなっていた。その名称は、対内的には隠密の東萊府暗行御史とされた。領選使の場合と同様に、攘夷の嵐が凄まじかったからで、日本への視察などと公然といえる雰囲気ではなかった。彼らは、八一年五月二四日に東京に到着し、八月八日まで調査の任に当たった。各自分担して、文部・内務・農商務・大蔵・司法・外務などの各省や税関・陸軍などを視察した。横浜や大阪・京都・神戸・長崎などにも出向き、日本の政治・産業・軍事・教育・文化などについて詳しく調査した。その間、政府首脳や福沢諭吉などの著名な人士とも面会している。この時、随員のうち兪吉濬と柳定秀《ユジョンス》は慶應義塾に、尹致昊《ユンチホ》は同人社に留学した。朝鮮初の留学生である。

朝士の日本観と金玉均

朝士視察団は、明治日本が行った岩倉使節団と性格が似ている。欧米に直接行くのは資金的にも時間的にも余裕がないため、手っ取り早く日本が選ばれた。朝士たちは、各々が報告書を作成している。しかし、その内容は岩倉使節団が西欧志向を強くして帰国したのとは大分違っている。朝士たちは、日本が「富国強兵」を達成しつつあることを認めたが、産業化の推進過程で累積された国債によって国家財政が破綻していると見て、明治維新を必ずしも肯定的に評価しなかった。

一行中、魚允中は最も開明的な人士であり、最も明治維新を高く評価した。しかし、彼とて小国主義的な発想を明確にしており、明治維新を手放しで肯定評価したわけではない。彼は小国の朝鮮が西欧大国を模範にすれば、「民を労《つか》れさせ財を傷《そこな》うのみ」だとして、ベルギーやスイスなどの小国に着目した(「随聞録」『魚允中全集』)。軍隊構想ではとりわけスイスに着目し、国民皆兵論を唱えたが、それは民兵構想ともいうべきものであり、通常の常備軍構想とはいささか違っていた。そこには軍事によって民衆に負担をかけるべきではないという、伝統的な民本主義思想が反映していたと見ることができる。

一八八一年は、開化派が一挙に日本への関心を深める年であった。李東仁や魚允中から盛んに日本事情や福沢諭吉について伝聞した金玉均も、ついに王命を受け、同年一二月末、徐光範とともに日本視察の旅に出た。彼らは、長崎や京都、大阪などをゆっくりと回り、三月六日、東京に入った。東京ではさまざまな近代文物を視察し、また福沢をはじめ、後藤象二郎、井上馨、大隈重信、伊藤博文などの政治家と面会した。金玉均は日本をモデルとした朝鮮の近代化と大国化に夢を馳せ、以後同志たちに、「日本が東洋のイギリスになるならば、われわれはわが国をアジアのフランスにしなければならない」と語るようになる(徐載弼《ソジェピル》「回顧甲申政変」)。同じく開化派であっても、小国主義的な発想をする金允植や魚允中とはいささか違っていた。

3　壬午軍乱と日本

開港の影響

小農社会であるとはいえ、飢饉や収奪、そして商品貨幣経済の進展などによって、そこにはつねに農民層分解の危機が存在した。饒戸・富民層といわれる地主や富農が新たに誕生する一方で、多くの農民はわずかばかりの土地を手に入れても、それを再び手放すような危機の状況にさらされていた。とりわけ商品貨幣経済の荒波は抗いがたく、現金をすぐにも必要とする貧農民は、米価の安い時期に米穀を投げ売りせざるを得なかった。それに対して地主や富農は、米価の高い時期に余力を持って売り出すことができた。こうした農村のひずみは、開港後日本との米穀貿易が行われるようになると、より一層顕著になっていく。貿易量は、一八九〇年以前はさしたるものではなかったが、米穀取引は確実に投機性を強めていき、貧農民を苦しめた。

そのため、民衆の日本への感情には穏やかならざるものがあった。実際、開港場での日本人の振る舞いは傲慢きわまりないものであった。商取引では朝鮮商人を暴力的に威喝して、暴利を貪った。問答無用で商品を安値で買い取ったり、粗悪品をだまし売りするなどのことは日常茶飯事であった。従って、暴力事件が頻繁に起こったが、朝鮮商人は泣き寝入りするしかなかった。治外法権が日本商人をどこまでも守ったからである。この頃の日本商人は、一攫千金を夢見る一旗組が多かった。彼らは徒党を組んで朝鮮の官庁に押し出すなどやりたい放題であった。そのことは、長きにわたって朝鮮と友好関係にあった対馬の商人とて変わることがなく、近世の善隣関係はもはや幻となった。また、褌姿の裸体や太股をさらしたり、女子の前で小便をしたりする日本人の行為は、儒教的規範から文化的反感を買った。

軍乱の勃発

こうした民衆の貧窮化と反日気運が醸成する中で首都漢城を激震に陥れたのが、壬午《じんご》軍乱である。この反乱の背景には、閔氏政権への民衆の憎悪が大きく作用していた。閔氏政権の誕生以降、国費が濫費され、売官売職の風も再び盛んとなった。そのため、大院君時代には緩和された苛斂誅求が再び激しくなった。また、閔妃は巫堂や卜術の輩を重用し、祈禱や占いに莫大な褒賞金をつぎ込んでいた。国家財政は逼迫化していく一方であった。

事件の発端は、軍隊への現物給与が一三カ月もの間遅配したことにあった。一八八二年七月一九日、ようやく数カ月分の米穀が支払われたが、そこには屑米や腐米、砂などが混じっており、実際には支給額は半分ほどにしかならなかった。倉庫を管理する宣恵庁の倉吏が横領したのである。武衛営所属の旧訓錬都監出身の軍卒は、これに憤って倉吏や営官と格闘となり、倉吏一名を殺害した。そこで、この報告を受けた宣恵庁堂上(長官)の閔謙鎬《ミンギョムホ》は、主謀者の金春《キムチュ》永《ニョン》や柳卜万《ユボンマン》らを捕らえようとした。これを黙視できなかったのが、金春永の父長孫《チャンソン》と柳卜万の弟春万《チュンマン》である。彼らは救命運動をすべく通文(回状)を作成して示威動員を図った。動員には、城門外の往十里《ワンシムニ》や梨泰院《イテウォン》に住む貧民をはじめ、多くの漢城民が応じた。軍卒の多くは漢城近郊に住む傭兵であったが、彼らは一面では野菜栽培や小商い、土木人足などにも携わる半兵半農(半商・半労)の都市貧民であり、凶年には賑恤の対象となるような人々であった。膨れあがった彼ら軍民は、武衛営大将李景夏《イギョンハ》の指示もあり、二三日、閔謙鎬の私邸に向かったが、留守と分かるや打ち壊しを行った。

その後、処罰を免れなくなった彼らは、大院君に救いを求めるべく、その私邸雲峴宮《ウニョングン》に向かい、指示を仰いだ。そして、その指示に従って日本公使館を焼き討ちし、別技軍教官堀本礼造を殺害した。花房義質をはじめとする公使館員は、翌二四日に漢城を脱出したが、仁川で六名が殺害され、二五日、日本に向かった。

一方、軍民は二四日、李最応の私邸も襲って彼を殺害し、さらに昌徳宮《チャンドックン》に入って閔謙鎬と京畿道観察使金輔鉉《キムボヒョン》を殺害した。閔妃をも殺害しようとしたが、閔妃は宮女と偽ってかろうじて脱出した。こうした事態に高宗と政府はいかんともしがたくなり、高宗は二五日、「今からは大小の公務は大院君が決するように命じる」という伝教(王命)を下し、大院君に政権を委ねるに至る。大院君の策謀が見事に成功を収めた瞬間であった。

清国の介入と大院君の清国抑留

政権に返り咲いた大院君は、当然のようにかつての執権時の体制に戻そうとした。五軍営と三軍府を復活し、閔氏戚族を政権より駆逐したのである。しかし、大院君の執権はすぐに終止符を打たれてしまう。壬午軍乱当時、天津にいた金允植と魚允中は、八月に入って清国要人に、今回の事件は李載先事件の残党と大院君が起こしたもので、これを放置すれば、日本公使が再来した時に事を起こすのは必定だから、清国は速やかに軍艦を派遣して「乱党」を鎮めてもらいたいと訴えたのである。

そこで、北洋水師の提督丁汝昌が率いる軍艦三隻と、北洋大臣の顧問的存在である馬建忠が派遣された。北洋大臣は長い間、直隷総督を兼務する李鴻章がその重責を担っており、清国外務省ともいうべき総理衙門に先んじて外交の任に当たっていた。当時李鴻章は母葬のため帰郷中で、張樹声が代理を務めていたが、彼は速やかに朝鮮への干渉を決めたのである。そして馬建忠は、大院君政権の解体を意図し、八月二六日、大院君を拉致し、翌日には天津に向かい、のち保定府に幽閉した。また、のちに派遣された呉長慶率いる二〇〇〇名をもって、二八〜二九日に軍乱の中心となった梨泰院と往十里を襲撃して一七〇余名を逮捕し、うち一一名を処刑した。指揮したのは呉長慶麾下《きか》にあった袁世凱であり、以後袁は朝鮮に対して威圧的に振る舞っていく。

こうして壬午軍乱、あるいは大院君の反乱ともいうべき漢城の騒乱は終息することになった。それは、閔氏政権の横暴と、それに対する貧民の敵意、そして大院君の人気の高さを改めて内外に知らしめる一大事件であった。大院君人気はその後も衰えず、のちの甲午農民戦争でも、大院君は重要な脇役を演じる。

開化派の分裂

大院君は攘夷主義者であるとはいえ、国王に次いで一国を代表するような存在であった。花房義質が乗る船に便乗して仁川に戻ってきた金玉均は、同じく清国から帰国した魚允中と会談し、魚允中と金允植の行いを「国権を支那に売るものなり」として非難した。そして、「朝鮮自主の権は既に失はれたり」として悲憤慷慨したという(『福沢諭吉伝』第三巻)。大院君にとって、開化派領袖の金玉均は許し難い存在であり、この時も金玉均の帰国を聞き、その逮捕を命じたほどである。しかし金玉均にとっては、仇敵ではあっても大院君の存在は、国権を左右するものとして認識されていた。

開化派はここにおいて分裂することになる。いわゆる、金允植・魚允中・金弘集らの穏健開化派と金玉均・朴泳孝・洪英植・徐光範らの急進開化派とである。金玉均と魚允中は絶交状態になった。穏健開化派は二重体制の均衡の上に朝鮮の独立を模索し、清国を敵視しなかったが、急進開化派は「万国公法」体制への一元的参入を意図し、そのために宗主権を主張する清国を敵視した。それゆえ、二年後の甲申《こうしん》政変は急進開化派によって単独で行われることになる。

済物浦条約

命からがらに軍乱を逃れて日本に帰った花房義質は、事件処理のため政府の命令を受け、高宗や新たに誕生した新政府との交渉に入ろうとした。軍艦四隻と陸軍歩兵一大隊が花房に続いた。花房は八月一二日に仁川に入り、一六日には漢城に着き、高宗や大院君と会談した。二四日には仁川で馬建忠と会談し、馬が大院君を排除して実質的な日朝の調停をなすことを知り、ひとまず安堵した。日本政府においては、軍乱に介入した清国が、朝鮮に対してだけでなく、日本に対しても朝鮮への宗主権を主張する場合、日清開戦もやむなしと覚悟していたが、それは杞憂に終わった。

こうして、大院君を拉致した日の翌二八日から仁川で日朝交渉が始まった。朝鮮側の全権は李裕元、副官は金弘集である。交渉は八月三〇日に妥結し、即時調印となった。すなわち済物《チェムル》浦《ポ》(仁川)条約である。この条約では、軍乱主謀者の逮捕処罰のほか、被害者への賠償金五万円、国家賠償五〇万円、日本公使館の日本軍による警護などが合意された。また、この条約と同時に日朝修好条規続約も調印され、釜山・元山・仁川の日本商人の活動域が五〇里(二〇キロメートル)に拡張される(二年後に一〇〇里)と同時に、漢城近郊の楊花津《ヤンファジン》の開市と日本外交官員の内地旅行権が認められた。

自由民権運動と壬午軍乱

壬午軍乱に対する日本世論の動向はどうだったであろうか。まず、政府の強硬な対朝鮮政策に即応するように、官権派新聞の『東京日日新聞』は日本の被害を大きくかき立て、朝鮮への敵愾心をあおった。福沢諭吉が主宰する『時事新報』は、清国への対抗を意識し、十分な陸海軍兵力の出兵を訴えるとともに、兵端を開く覚悟で賠償金を取るべきだとした。福沢は、それまで東洋盟主論を唱え、朝鮮や中国を文明的に指導すべきことを主張していたが、これは大きな変節の第一歩である。この時期、壬午軍乱にまつわる錦絵が盛んに売られたが、それらは花房公使一行の脱出行を劇的に描き、日本民衆の朝鮮への敵愾心をさらにあおった。それによって、献金願いや従軍願いを出す人々も現れた。

一方、自由民権運動の各派は慎重な論陣を張った。自由党機関紙の『自由新聞』は、開戦の姿勢を示しながらも、賠償金は少額に止め、領土の割譲や反乱兵士の処罰なども要求すべきではないとした。また、改進党系の『東京横浜毎日新聞』や『郵便報知新聞』は、反乱兵士の処罰や被害者への扶助金を要求はしても、過大であってはならないとした。済物浦条約と日朝修好条規続約が調印されると、自由党系も改進党系も、その過大な要求に対してことごとく批判を加えた。自由党は、欧米に屈従してアジアに対して強硬な姿勢を取るのは何事かという立場であった。そして、朝鮮に対する不平等条約を改正しなければ、欧米との不平等条約も改正できないという議論もあった。そこにはアジア主義的観点からする政府批判があった。

こうした中で、中江兆民が『自由新聞』(八月一二・一五・一七日付)に書いた「論外交」は、壬午軍乱そのものに対する議論ではないが、出色の政府批判であった。「富国」と「強兵」の矛盾を指摘し、「強兵」策を猶予して小国の道を歩むべきだとしたのである。そこでは、「道義」と「正義」の道が問題とされていた。

こうした議論は、江華島事件の時の議論とはおよそ違っている、自由民権運動が全盛に達していた時であればこそなされた、ある種の健全さがあった。しかし、日本の優越意識を鼓吹する点では何ら変わっていない。中江兆民ですら、あたかも朝鮮に対して論ずるかのように、「其小弱ノ国ノ如キハ宜シク容レテ之ヲ愛シ、其レヲシテ徐々ニ進歩ノ途ニ向ハシム可シ」としていた。小国主義を唱えているように見えながらも、その実は、自らは必ずしも小国だとは認識しておらず、朝鮮に対してあくまでも日本は指導的立場を取るべきものとされたのである。

第四章　甲申政変と朝鮮の中立化

太極旗　高宗が政府顧問をしていたデニーに贈ったもの(1890)

1　閔氏政権と開化派

清国の宗主権強化

清国では、壬午軍乱以前から、朝鮮との宗属関係を伝統的な朝貢関係から近代的な帝国―属国（植民地）関係に変えていこうとする議論があった。実は、駐日清国公使の何如璋が代表的であった。しかし李鴻章は、そうした道を拒否し、伝統的な宗属関係の枠組みを維持しつつ、その実質を変えていこうとする道を選択した。壬午軍乱後、張謇や張佩綸などがそうした意見を李鴻章に提案したが、李はこれを肯んじなかった。

にもかかわらず、壬午軍乱後、清国の宗主権は着実に強化された。先に述べたように、一八八二年一〇月四日に結ばれた朝清商民水陸貿易章程は、清国の宗主権を明文化したものである。二重体制を示唆するものであるとはいえ、これは不平等条約であった。この章程は、宗属関係に規定されて締結されるものであるという認識から、他国には均霑《きんてん》（利益の平等付与）しないことが明記されている。つまり、他国は朝鮮に最恵国待遇を認めさせていたが、この章程の内容は適用されないということである。しかし、列強の圧力で実際には均霑せざるを得ないものもあった。また漢城が開市され、清国の商務総弁が漢城に派遣された。そして、清国商人を管理するという名目の下、朝鮮の通商に干渉することができた。商務委員に申請すれば、内地行商も認められた。朝鮮における外国人内地行商権の嚆矢である。八四年以後、清国商人の朝鮮での活動は活発になっていく。さらに、当然のように治外法権が認められたが、被告が朝鮮人であっても原告が清国人ならば、商務総弁がその裁判に加わることができた。

閔氏政権下の改革と清国

章程は日本や欧米との条約以上の不平等条約であるが、朝鮮側からすれば、清国は決して朝鮮を植民地化せず、むしろ諸列強の侵略からの防波堤になってくれるという認識であったのであろう。朝鮮政府は、李鴻章やその配下の馬建忠の忠告に従い、一八八二年一二月末には政治顧問として馬建常(馬建忠の兄)とドイツ人メルレンドルフの招聘も了解している。そして、両者の指導の下に、八三年一月、統理交渉通商事務衙門(統署あるいは外衙門)と統理軍国事務衙門(内衙門)が新設された。前者は外交通商事務を司り、後者は三軍府の後身ともいうべきもので軍国=内政事務を司った。人員としては、閔氏戚族と守旧派のほか開化派が登用された。すなわち、外衙門では趙寧夏《チョニョンハ》・閔泳翊《ミンヨンイク》・金弘集・金晩《キムマン》植《シク》(金允植の従兄)・金玉均などが登用され、メルレンドルフが顧問となった。メルレンドルフは税関も監督した。また内衙門では、閔台鎬《ミンテホ》・金允植・洪英植・魚允中などが登用され、馬建常が顧問となった。

また、軍政改革も進められ、提督呉長慶は三〇〇〇名の清国兵を指揮しつつ、朝鮮軍の改革を袁世凱に委託した。袁は兵士一〇〇〇名を先発して新建親軍営と称し、これに新式兵器を与えて調練した。この軍隊は左営と右営からなっていたが、のち前営と後営が増設されて四営体制となり、いずれも非開化派が隊長となった。ところが、袁世凱は朝鮮で呉慶長の頭越しに傲慢に振るまい、反感を買った。また、清国兵士も規律が厳正でなく、朝鮮官民にしばしば略奪や暴行を働き、朝鮮人の怨嗟の的にもなっていった。

李鴻章は朝鮮を近代的な属国にはしないつもりであったにせよ、清国の宗主権は強大化していく。急進開化派はそれを深刻に受け止めた。しかし、二重体制論に立つ穏健開化派は、清国の振る舞いを苦々しく、あるいは腹立たしく感じたにせよ、むしろ清国と諸列強の勢力均衡の上から清国の宗主権強化を甘受した。国王も閔氏戚族もそうであった。

開化派の政権掌握戦略

軍乱直後の一八八二年九月、幼学(在野優生)の池《チ》錫永《ソギョン》が、洋学の奨励を訴える上疏を行っている。池は修信使金弘集の随員として日本に行った経験をもち、種痘法の普及に尽力したことで知られる人物である。その上疏によれば、一院を設けて西欧の文物を集め、全国から選抜された学識者を二カ月ごとにここで学習させ、「利用厚生」に役立たせるべきだという。池錫永は、『朝鮮策略』ばかりでなく、『万国公法』などの西欧書の学習も勧めている。また、国内の書物では金玉均の『箕和近事』、朴泳孝の『地球図経』などの学習も良書として勧めている。両著は現存していないが、当時すでに金玉均や朴泳孝は注目される存在であったことが分かる。

両人は、まさに改革の旗手であった。だが、そのためには閔氏政権の協力を得なければならない。そこで目をつけたのが閔泳翊である。彼は、高宗親政宣言とともに新たな勢道となった閔升鎬が暗殺されたのち、升鎬の養子となった人物で、閔妃の最近親として信任が厚かった。金玉均の日本訪問にも同行するはずであったが、事情によって中止となった。その後、閔泳翊は一八八三年七月に報聘使としてアメリカに行き、アーサー大統領に謁見した。随行者は急進開化派の洪英植と徐光範である。帰りはヨーロッパ諸国を歴訪して見聞を広め、一二月に帰国した。しかし閔泳翊は、ついに閔氏中心の政治を改革しようという意志をもたなかった。

また開化派は、別入侍《べつにゅうじ》として国王に仕え、高宗の開明化に努めた。別入侍とは国王がいる内殿への出入を許された者で、開化派人士は比較的名門出身が多かったので、それが可能であった。新衙門の有力官僚であったこととも相俟って、開化派の高宗開明化はいささか功を奏している。高宗は八三年二月五日に「官紳」の者も「家財を阜通して(資本として)富裕になることを許す」という綸音を発したが、これは両班官僚の商業従事を許可したことを意味する。天理と人欲の闘いを説く朱子学を原理とする朝鮮王朝にあっては、国初以来抑末(商)政策が採られ、士族が商業を営み私欲を満たすことなどできなかった。この綸音はその政策を一大転換すべく、朝鮮の資本主義近代化の方向を基礎づけようとした画期的なものであった。

開化政策

別入侍として高宗の信頼を得た開化派は、次々と主導的に開化政策を推進した。八二年九月、壬午軍乱の謝罪使として朴泳孝を正使とする修信使が日本に派遣された。国旗である太極旗《テグッキ》は、この時船中で制作されて初めて使用された。朴は弱冠二二歳の若者であったが、哲宗の娘婿で錦陵尉という栄爵を受け、開化派中最も地位が高かった。これには金玉均も随行し、彼は後藤象二郎や福沢諭吉の仲介で横浜正金銀行から一七万円の借款を受けることに成功した。そのうち五万円は対日賠償金五〇万円の第一回分に充当されたが、他は多く陸軍戸山学校や慶應義塾などへの留学生の資金に回された。

また、朴泳孝は八三年二月に漢城府尹《ふいん》(知事)に任命されたのを機に、治道局や巡警局を設けて首都に近代的都市を建設しようとした。金玉均は朴泳孝との議論を踏まえて「治道略論」(一八八二年一二月)という論文を書いているが、治道局はそれを基礎として都市整備を行う部局として設置された。朴泳孝の構想は開化派独自の新式軍隊の創設にも及び、陸軍戸山学校の留学生たちはその重要な幹部候補生であった。しかしこうした政策は、朴泳孝が早くも同年四月、広州《クァンジュ》留守(知事)に左遷されたために、実を結ぶことはなかった。

洪英植も重要な役割を果たした。彼は朝士視察団の一員として渡日した際、郵便制度を研究したが、八三年四月に郵政局が創設されると、その総辧となった。これは朝鮮における近代的郵便制度の先駆けとなるものであった。

開化派が中心となって実行に移した政策のうち最も重要なものは、博文局による近代的新聞『漢城旬報』の発行である。博文局は開化思想を流布させるために創設された部局で、金晩植が責任者を務めた。そして、福沢諭吉の協力を得て、その門下生の井上角五郎と印刷工を日本から招聘し、日本の活字と印刷機器を導入して一八八三年一〇月三一日に創刊された。

『漢城旬報』と『漢城周報』

『漢城旬報』は当初、慶應義塾に留学していた兪吉濬が中心となって漢城府尹朴泳孝の下で刊行されることになっていたが、彼の左遷で刊行が遅れた。しかも、当初の計画では漢韓混交文による刊行が目指されたが、それも漢文による刊行となった。さらに、『漢城旬報』は官報的性格を併せ持ち、配送先は全国の官庁を主とするものであった。しかし、その内容は啓蒙主義で貫かれ、近代的知見を読者に広めようとした。

わけても注目されるのが、世界情勢について多くの紙面を割いたことである。そこでは、アジア・アフリカ諸国が西欧列強の侵略によって危機に瀕していることが、しばしば訴えられている。朝鮮自らへの警告である。『漢城旬報』は甲申政変によって廃刊されたが、その後八六年一月二五日に『漢城周報』として再刊され、八八年七月まで続いた。『周報』では、漢韓混交文が採用され、近代朝鮮文の先駆となった。

2　甲申政変と日本

以上のような改革は、閔氏政権との軋轢をもたらした。閔氏政権は必ずしも近代的改革に反対していたわけではなかったが、それが開化派主導で、しかも急進的に行われることに対しては、戚族・門閥政治を推進する立場から苦々しく思わざるを得なかった。改革の推進は、いずれは自らの勢力の後退、否定を招かざるを得なくなるからである。ここに開化派への反撃がなされていく。朴泳孝がわずか二ヵ月ほどで広州留守に左遷されたのは、閔氏政権との軋轢をよく物語っている。また、統理交渉通商事務に携わっていた金玉均も、一八八三年四月、一時的だが東南諸島開拓使兼捕鯨使に左遷された。

開化派の焦躁

このような状況の中で、金玉均が考えた起死回生の策が日本からの外債三〇〇万円の募集であった。当時財政難を解消するために、閔氏政権とメルレンドルフは当五銭の発行を画策していた。しかし、大院君政権時に当百銭が発行されてインフレが進行し、民衆生活が困窮化したのに鑑み、金玉均はこれに強く反対した。そこでその代案に、日本で外債三〇〇万円を募ることを企図し、高宗の委任状を持って八三年六月、日本に赴いたのである。

しかし、駐朝日本公使竹添進一郎は金玉均に敵対し、メルレンドルフと共謀して外務卿井上馨に国債募集に応じないように働きかけた。八三年一月に赴任した竹添は、かねてよりメルレンドルフと懇意な間柄にあり、金玉均の反清・反閔氏的な言動に不信感を抱いていた。金玉均をはじめ急進開化派の人士はみな若かった。日本びいきであるにもかかわらず、竹添は彼らを軽薄の才子だと見て軽侮した。そのため、外債募集は第一銀行からの二〇万円ですら失敗し、フランス公使やアメリカ公使への働きかけもすべて失敗した。こうして万策尽きた金玉均は、八四年五月、失意のうちに長いその活動にピリオドを打って帰国する。帰国当時すでに当五銭は大変な経済問題を引き起こしていたが、金玉均を敵視するメルレンドルフはかえって金玉均を攻撃し、金は一時漢城の東郊に避難する始末となった。

事態は切迫していた。このまま手をこまねいていれば、開化派は閔氏政権から完全に排除されかねない状況となった。開化派といっても勢力は微々たるものである。政府内での存在は、風前の灯火となった。

クーデター計画

こうして開化派は、閔氏戚族を排除して一挙に政権を奪取するクーデターを計画することになる。勢力が微弱で資金もない開化派が依存したのは、またもや日本であった。井上外交は、壬午軍乱後の清国優位の朝鮮情勢に鑑みて、積極的に朝鮮に関与しないというものであった。しかし、一八八四年八月に清仏戦争が勃発し、漢城に駐留していた清国軍一五〇〇名が引き揚げると、井上は朝鮮への積極策を模索し始めた。

そこで、一時帰国してその意を体した竹添は、八四年一〇月三〇日に帰任するや、ただちに開化派支援の姿勢を見せるようになる。竹添は高宗に、済物浦条約で決められた賠償金残額四〇万円の放棄と汽船一隻・山砲二門の贈与を申し出た。そして、一一月三日に明治天皇天長節に各国要人を招いた宴席の場で、出席していた清国の商務総弁陳樹棠の存在も憚らず、朝鮮語ができる公使館員に、「支那人は骨なくして恰も海鼠《なまこ》の如くなり」とまで侮蔑する言葉を並べ立てさせた(『福沢諭吉伝』第三巻)。この竹添の豹変に開化派は大いに驚いたが、竹添に支援を強く要請し、公使館警護の日本軍一中隊に期待を寄せた。

一方、福沢諭吉も開化派への支援を約束し、井上角五郎にその任を命じた。三者の間には電信の暗号まであったという。また、福沢は日本刀や拳銃・爆薬などを、井上を通じて開化派に提供した。

甲申政変始末

開化派が一挙に大事を決行したのは、一八八四年一二月四日のことである。この日の晩、洪英植が主催する郵政局開設の祝賀会に閔氏政権の要人や外国要人らを招待した。そして午後一〇時頃隣家に放火し、宴席から脱出してきた右営使の閔泳翊に斬りつけ、「諸閔」と「奸臣」の退治が始まった。金玉均・朴泳孝らはただちに王宮に行き、清国が兵乱を起こしたと偽りの奏上をした。次いで、国王を広大な昌徳宮から防御がしやすい景祐宮《キョンウグン》に移し、日本軍に出動を要請した。また、徐載弼が指揮する戸山学校出身の士官学生や、前営・後営部隊の一部士官に大小門の警護を命じた。急事を聞いて入城しようとした、右営使閔泳翊以外の三営の隊長である左営使李祖淵《イジョヨン》・前営使韓圭稷《ハンギュジク》・後営使尹泰稷《ユンテジク》や、閔台鎬・閔泳《ミンヨン》穆《モク》、趙寧夏などの閔氏政権の主だった者は、この警護部隊によって殺害された。先に斬りつけられた閔泳翊は、重傷を負ったが辛くも一命を取り留めた。

翌日開化派は、すぐに新政府の組織に取りかかり、左議政李載元《イジェウォン》(大院君の甥)と右議政洪英植を筆頭とする、大院君派と開化派を網羅した政権構想を発表した。さらに六日には新政綱を発表し、対清事大外交の廃止、門閥打破、人民平等、地租法改革、貪官汚吏の処罰、警察制度の改革、財政の一元化などを掲げた。

甲申政変のリーダー・金玉均(1851～1894)

甲申政変の過程や内容については、史料が少なく不明な点が多い。基本史料と見られていた金玉均の回顧録である『甲申日録』でさえ、日本人によって偽作された可能性がある。そのことは、開化派政権が機能しないうちにたちまち崩壊したことと無関係ではない。景祐宮は防寒の用意なく飲食にも不便であったため、五日に開化派は国王・閔妃などをともなって李載元の私邸を経て昌徳宮に戻った。すると袁世凱は、清軍出動の要請をするように右議政沈舜沢《シムスンテク》に強請し、新政綱が発表された六日には軍を動かした。袁世凱率いる八〇〇名と呉兆有率いる五〇〇名の部隊が二手から昌徳宮を攻撃するや、一五〇名ばかりの日本軍は竹添の指示で即座に撤退を始め、一〇〇名ほどの開化派直属の軍隊もすぐに敗北を喫した。洪英植と朴泳教(朴泳孝の兄)、そして七名の士官学校生は最後まで高宗に陪従して清軍に殺害された。金玉均・朴泳孝ら九名は日本公使館に逃げ、日本人とともに仁川に急いだ。しかしその前に、朝鮮の親軍左営五〇〇名の兵士が立ちはだかった。一行はようやく仁川に到着し、日本船千歳丸で日本に亡命することができた。

開化派人士らはここで「謀叛大逆不道罪人」とされた。彼らの家族の多くは、自決に追い込まれたり、逮捕されてのち獄死したりした。その財産は当然に没収された。金玉均が慕った劉大致は「白衣政丞」と呼ばれていたが、政変後、山に逃れて生涯坐禅の道を一人歩んだという。

甲申政変の思想

甲申政変を起こした急進開化派が目指したものは、西欧近代文明を受け入れて「万国公法」体制への一元的参入を図り、宗主権を強化した清国からの完全離脱を図ることであった。国民国家建設のためであった。その際、短時日のうちに西欧化を成しとげた日本の明治維新は絶好のモデルであった。そこには、「アジアのフランス」を目指そうとした金玉均に見られるように、大国志向も垣間見える。朝士視察団員のほとんどは明治維新に対して必ずしも肯定的に評価しなかったが、この点で急進開化派の考えは、当時の政治家・官僚の中にあって異色であった。

しかし金玉均には、他方でアジア主義的な連帯思想もあった。彼が書いた『箕和近事』は、朝鮮と日本の最近事情を述べたうえで、清国をも含めた三国の提携を提唱したものであったと推測されている。その思想はのちに三和主義といわれた。金玉均の思想は単に大国志向とは割り切れず、そこにはやはり、儒教的民本主義の影が認められる。

そもそも朝鮮では、「富国強兵」は権力主義的な覇道をイメージするものであって、否定的な意味に取られるという伝統があった。それに代わって唱えられたのが「自強」である。「自強」とは、民本を基礎に置いて内政と儒教的教化の充実を図ることである。それは「富国強兵」の覇道に対して王道であるとされた。「自強」論では、軍事力増強の道は民本主義に反するものであり、軍事力は防御するに足る最小限度のものでよいとされる。開国以降、「富国強兵」や「富強」という言葉が肯定的に使われる場合がなかったわけではないが、しかしその場合でも、その具体的内容は「自強」の意味であった。

甲申政変後の一八八八年に、朴泳孝が国政改革に関する建白書(『日本外交文書』二一)を書いている。そこには依然として、西欧文明への信仰と明治日本への憧憬が色濃く吐露されていた。しかしその実は、内政にも外交にも「信」が基本でなければならず、「保民」は「護国」に先んじなければならないという王道論と民本主義の精神が貫かれていた。

しかし急進開化派には、愚民観も強く顔をのぞかせている。本来、儒教的民本主義というのは、民のための政治を唱えはしても、民を政治の主体にしようという発想をもたない。四民平等の思想は開化派の祖である朴珪寿によって切り開かれようとしてはいたが、具体的実践となると、エリート的な士の自覚をもつ開化派には難しいことであった。甲申政変が、なぜ革命ではなくクーデターという形態を取り、しかも日本に全面的に依存しようとしたのかは、ひとえに開化派の愚民観に問題の本質があった。

実は、開化派政権の崩壊には漢城民衆の攻撃も重要な役割を果たしている。民衆の間には国王廃立の流言が瞬く間に広まり、民衆は続々と王宮や公使館に集結して、投石や暴行などを日本人や開化派に加えた。民衆を信頼せずに外国を信頼した開化派政権は、民衆によって打倒されたのである。民衆の離反は、開化派政権崩壊の決定的要因であった。

そして開化派は、信頼したはずの日本にも裏切られた。仁川に逃げのびた際、竹添進一郎は、卑劣にも金玉均らの身柄引き渡しを迫る朝鮮政府の要求に応じようとした。引き渡されれば、処刑は確実である。みな自決を覚悟した。その時千歳丸船長辻勝三郎が、「此の船舶の事皆我権内に在り、諸君皆安んじて可なり」(古勤記念会編『金玉均伝』上巻)と言って竹添を押さえ、金らの亡命を手助けしたというのは有名な話である。

日本に亡命してからも、彼らは日本政府の冷たい仕打ちにあった。閔氏政権は、金玉均・朴泳孝・洪英植・徐光範・徐載弼の五名を「五賊」とし、すでに死んだ洪英植以外の四名の引き渡しを求めたが、日本政府はかろうじてそれを拒否しただけであった。彼らは在野の日本人有志の助けで細々と亡命生活を送るしかなかった。日本の冷遇に落胆した徐光範や徐載弼などはアメリカに渡った。そのうち、閔氏政権から刺客が送られるようになると、日本政府は金玉均の存在を煙たがり、彼を一時小笠原諸島や北海道に追いやった。

甲申政変と自由民権運動

甲申政変が起きた時期、日本の自由民権運動は重大な危機に立たされていた。急進派による激化事件が相次ぎ、それを統制できなくなった自由党は一八八四年一〇月に解党した。甲申政変は、そうした窮地を打開できる一筋の光明であった。民権派の新聞は挙って対清強硬論を展開し、八五年一月一八日と三〇日には、東京と大阪で各々学生・青年や壮士などによる志士運動会と反清デモが行われた。東京の集会では、中江兆民が檄文を書いている。もはやそこには、小国主義者の姿はない。

こうした動きは義勇軍結成運動に連動し、それは三府二四県に及んでいる。わけても自由党が解党してもなお存続していた機関紙『自由新聞』(一八八四年一二月二七日付)は、清国との開戦を主張し、「我邦ノ武力ヲ宇内ニ示シテ白晳《ママ》人種ニ一大驚ヲ喫セシムル好時期」であるとした。清国を打ち破れば、条約改正も一挙になし得ると考えたのである。

八五年一一月二三日、大井憲太郎や小林樟雄が中心となって引き起こした大阪事件は、自由民権運動が国権論に大きく舵取りした内実を最もよく示している。この事件は旧自由党員たちが、武力をもって朝鮮に侵攻し、閔氏政権を打倒しようとした計画が露見したものである。しかし、開化派への連帯といいながら、その実は、沈滞化した自由民権運動の活気を取り戻すために、事を外に構えたにすぎないものであった。朝鮮問題を利用しようとしたとき、民権論は国権論へと容易に転換したのである。アジア主義はもはや地に落ちてしまった。

こうした点は、甲申政変に深く関わった福沢諭吉の場合、より露骨である。彼はもとより国権主義者ではあったが、八五年三月一六日『時事新報』に掲載した「脱亜論」では、朝鮮と清国を「悪友」とし、西欧文明国と同じような態度で両国に対するべきだとした。かつて傲慢にはせよ、東洋の盟主として朝鮮と清国を文明に導くべきだとしたアジア主義的議論は、もはやみじんも残っていない。日清戦争までは、もう一〇年たらずと迫っていた。

3　諸列強と朝鮮中立化構想

漢城条約と天津条約

甲申政変の事後処理のために、一八八四年一二月三〇日、全権大使井上馨が二個大隊を率いて仁川に上陸し、ただちに漢城に入った。そして一月九日、漢城条約が締結された。朝鮮政府は日本に謝罪し、殺害された居留民の遺族と負傷者に対して一〇万円の賠償金を払うことなどが取り決められた。甲申政変に日本が関与したことについては不問に付された。

一方、伊藤博文は八五年四月二日に天津に行って李鴻章と協議を行い、一八日に天津条約を締結した。その内容は、①日清両軍は朝鮮から撤退し、②朝鮮政府は外国人軍事教官を採用し、③将来日清両国が朝鮮に派兵する場合は互いに「行文知照(事前通知)」すること、などであった。

これ以降、朝鮮には外国軍隊がいなくなる状況が、一八九三年七月まで続く。朝鮮が独立国の内実を整えるには絶好の機会が到来したのである。しかし、朝鮮は引き続き朝清商民水陸貿易章程体制下に置かれ、このままでは清国の宗主権はますます強化されていってしまう。そこで、ロシアを引き入れて清国を牽制しようという動きがもち上がることになる。

第一次朝露密約事件

メルレンドルフは清国の後押しによって政府顧問になったとはいえ、清国の朝鮮への締め付けを不当なものだと感じていた。また、金玉均と相容れなかったとはいえ、彼の認識では朝鮮はあくまでも独立国であった。清国の朝貢国であることからの離脱までは考えなかった点で金玉均とは違うが、しかし朝貢国というのは「万国公法」の上では内政自主の独立国であらねばならなかった。

ここに、メルレンドルフはロシア勢力を呼び入れて清国を牽制しようと画策するようになる。

その内容は、軍事教官をロシアから招聘し、朝鮮を保護国にする代わりに、ロシアに不凍港を提供するというものであった。この密約は高宗や閔妃の同意を受けており、ロシア駐日公使館書記官シペイエルはその締結のために、一八八五年六月一〇日、漢城を訪れた。二重体制を甘受していた高宗も、さすがに清国の宗主権強化は過ぎたるものだと感じるようになっていた。また高宗は、国際法的に保護国なるものが外交の自主権を喪失した国を意味するということをよく認識していなかったようである。単にロシアを後見国にするという程度の認識である。のちに日本が朝鮮を保護国にする際に見せた高宗の抵抗ぶりから見て、そのように理解される。

しかし、朝鮮政府は督弁交渉通商事務金允植をはじめ、断固これを拒否した。ロシアとの国交がまだ正式に批准される前のことであり、シペイエルは七月七日には断念して漢城を後にした。高宗はすべての責任をメルレンドルフに押しつけ、彼は八月にはすべての役職を解かれた。

日本の対清協調と清国

一方、イギリスは一八八五年四月一五日、突如として朝鮮半島南端麗水《ヨス》の南にある巨文島《コムンド》を軍事占領した。当時イギリスは、アフガニスタン問題をめぐってロシアと対立していた。そこで、ロシアの朝鮮進出を阻止するとともに、将来の対露開戦に備えウラジオストック先制攻撃の海軍基地としようとしたのである。朝鮮政府は当然、金允植が中心となってイギリスに抗議し、速やかに撤退するように求め、各国公使にも協力を求めた。

こうした中、日本は英露の朝鮮進出を阻止するために、清国に対して協調を呼びかけた。すなわち、外務卿井上馨は八五年七月に駐清国公使榎本武揚《たけあき》を通じて李鴻章に「弁法八カ条」を提案した。その内容は、日清両国は提携して朝鮮の改革を推進するが、その政策の主導権は清国に委ねるというものである。しかし李鴻章は、朝鮮に対する清国の宗主権への日本の干渉と見てこれを拒否した。

李鴻章にとって、高宗や閔妃は油断ならない存在であった。ここに、彼らの動きを牽制するため、大院君の帰国が企図されるようになる。大院君の帰国は井上馨も勧めていたことであった。高宗や閔氏戚族は驚愕したが、大院君はついに一八八五年一〇月三日に帰国した。帰国に先立ち閔氏戚族は、大院君の影響下にある壬午軍乱の残党を逮捕し、主だった者数名を凌遅刑に処したり、毒殺したりした。

李鴻章は朝鮮への梃子入れも強化した。竹添進一郎に「海鼠」とまで侮蔑された商務総弁陳樹棠を更迭し、袁世凱に新たに総理朝鮮通商交渉事宜という役名を与え、八五年一一月、漢城に再赴任させたのである。のちに中華民国初代大総統となる袁世凱は、弱冠二七歳で功名心と血気にはやる性向があったが、壬午軍乱を鎮めたその果断な能力が買われた。果たして、商務のみならず外交への関与の権を付与された袁は、その後朝鮮に対して強圧的な態度を取っていく。

第二次朝露密約事件

袁の果断さと傲慢さは早速、八六年八月に起きた第二次朝露密約事件において発揮された。この事件は、イギリスが巨文島から一向に撤退しない中、高宗と閔妃、及びその側近によって企てられたもので、密書が駐朝ロシア代理公使のウェーベルに送られた。その内容は、ロシアの力でイギリスを巨文島から撤退せしめ、さらにロシアの保護によって清国との宗属関係を解消し、他国と「一律平行」な関係を構築したい、というものであった。政府部内でもこれは周知のことであったが、金允植と閔泳翊はこれに反対し、閔泳翊が袁世凱に密告したことによって事が露見した。

袁世凱は当然に密書の返還をウェーベルに求めたが、ウェーベルはその受領を否定した。一方で、袁は国王高宗を廃位しようという断固たる処置に出た。その場合、大院君の政権復帰と、大院君が溺愛する孫の李埈鎔《イジュニョン》(長男李載冕《イジェミョン》の子)の即位が条件となる。しかし、大院君は今やその勢力基盤を削がれ、その能力には限界があった。また、何よりもそのような内政干渉は、日本・ロシアをはじめ列強が黙認するはずもなかった。それゆえ李鴻章は、一時は高宗廃位論に傾くが、結局はそれに同意しなかった。

李鴻章には伝統的な朝貢体制はどこまでも維持されなければならないという、伝統的な中華知識人・官僚政治家としての原理的な認識があった。これまでも李は、朝鮮を近代的な属国＝植民地に変えていこうとする議論に対して同意してこなかった。しかも、清国自らが、朝鮮に対して近代的な属国支配関係を強要するなら、それは西欧の侵略論理を認めることになってしまう。そうなれば、朝鮮は露骨な力の角逐場になり、それこそ朝鮮との宗属関係を廃棄する結果を招来するかもしれない。それどころか、次には清国そのものが列強の勢力角逐場になるであろう。清国の宗主権は壬午軍乱以降、どれほど強大化したとはいえ、李鴻章は朝鮮を近代的な属国にはしないように、限界点で踏みとどまろうとしたのである。

デニーと袁世凱

第二次朝露密約事件に先立ち、メルレンドルフや高宗・閔妃の「引俄(ロシア)拒清」策に懲りた李鴻章は、一八八六年五月、アメリカ人の法律家デニーを外国人顧問として朝鮮に派遣した。しかしデニーもまた、李鴻章の期待を裏切り、国際法の見地から清国の横暴を押さえようとした。八七年二月二七日、イギリスが巨文島を撤退すれば、朝鮮のいかなる地点も占領しないというロシアの言質を取ったことで、イギリスは巨文島を撤退した。ここに、朝鮮の危機は一段落した。そこでデニーは、朝鮮政府に自主独立国家の体面を示すために、欧米への全権使節の派遣を建議した。

これに対して袁世凱は妨害したが、アメリカが抗議すると、致し方なく了承した。その代わり全権というのは僭越だとして公使に格下げして派遣されると同時に、赴任した際、清国使節をまず訪問することが義務づけられた。こうして八七年一一月、朴定陽が駐米公使、趙巨熙《チョゴヒ》が駐英・独・露・伊・仏兼任公使として旅立った。しかし朴定陽は、駐米清国公使張蔭桓の先導による、国書のアメリカ大統領クリーヴランドへの奉呈を拒否した。袁世凱は大いに怒り、そのため香港で足踏みしていた趙巨熙は渡欧を断念し、そのまま帰国した。朴定陽も召還された。

こうした事態に対してデニーは、袁世凱を苦々しく思い、八八年一月、『清韓論』を著した。そこでは、朝鮮は確かに「進貢国（朝貢国）」であるが、国際法的にはあくまでも「独立主権国」だとし、朝清商民水陸貿易章程も単に修好通商について締約したものにすぎないとした。また、国王の廃位を図ったり、人参の密貿易に手を貸すなどする袁世凱を「傲慢」であると批判した。そして、高宗を一国の君主に恥じない忍耐と寛容を備えた人物であると評価した。

こうしたデニーの牽制にもかかわらず、袁世凱はその後も朝鮮で傲慢に振る舞っていく。当時「王座の背後の権力者」とまでいわれたほどである（イサベラ・バード『朝鮮奥地紀行』平凡社）。しかし、朝鮮は清国の保護国には決してならず、ぎりぎりのところでやはり「属国自主」の権を維持し続けた。

朝鮮中立化構想と日本

甲申政変から日清戦争の勃発までは、清国の宗主権が強化されながらも、朝鮮の中立化が模索された時期であった。朝鮮の永世中立化を最初に具体的に提起したのは、駐朝ドイツ総領事のブドラーであり、一八八五年三月のことである。この時は、朝鮮政府自らがこれを拒否している。

しかしその後、朝鮮中立化構想は朝鮮人の間でもさまざまに提起された。金允植の二重体制論は永世中立化論とはいえないが、自主的な中立化政策といえないこともない。彼は、二重体制の下で朝鮮の資本主義近代化の道を模索したが、その構想の基底には国際信義を貫きつつ、覇道的な「富強」ではなく、王道的な「自強」の道を歩もうとする儒教的な理想主義が横たわっていた。その際、どの国も守ろうとしない「万国公法」をひとり朝鮮が守り世界に「信」を問うことは、「小邦自主の道」であるとされた。

甲申政変以前、大国志向的なナショナリズムを吐露していた金玉均も、日本亡命後は小国構想=朝鮮中立化の道を模索するようになる。清国が盟主となり、欧米列強に説いて朝鮮を中立化させることは、朝鮮にとってばかりではなく、清国にとっても得策であるというのである。清国の宗主権強化に対応した現実的な政策転換であるといえよう。

朝鮮中立化論を最も体系だって説明したのは兪吉濬である。彼は、報聘使一行の随員として一八八三年七月にアメリカに渡り、そのまま留学生活を送っていた。朝鮮最初の欧米留学であり、兪にとっては、慶応義塾につぐ二度目の留学である。彼は甲申政変の報を聞いたあと、ヨーロッパを歴遊して八五年末に帰国した。ただちに幽閉されるが、帰国してすぐに執筆したのが「中立論」である。そこでは、朝貢体制を「万国公法」的な枠組みの中で理解しようとし、現実の清国の力を認めつつ、それを換骨奪胎させることによって朝鮮の小国中立化の道を構想した。具体的には、朝鮮はヨーロッパにおける中立国ベルギーとトルコにおける属国ブルガリアの両者を兼ねるような存在だとした。

このような朝鮮中立化論は、一八九〇年三月、山県有朋が閣僚に提出した意見書「外交政略論」にも見ることができる。山県は朝鮮を日本の利益線としながらも、日本本土を守るために利益線の中立国化を提唱している。具体的には清国の優位を認めつつ、日清共同で朝鮮の中立国化を図るという構想である。井上馨の「弁法八ヵ条」を継承するものである。

ただしこの構想は、現実政治の上でリアルに構想された外交論であって、思想レベルとは区別される。思想レベルとしては、「征韓」論以来の朝鮮進出論は確固としてあった。そして、政府部内にも陸海軍部内にも、対朝鮮強硬派は根強く存在し、状況の変化によってそれは一挙に牙をむく準備がなされつつあった。そうなったときには、山県も伊藤博文もそれに異論を唱える立場になかった。「征韓」思想は、吉田松陰や木戸孝允の思想的、政治的系譜を継ぐ彼らにあっては、もとより共有されていたものであった。

第五章　甲午農民戦争と日清戦争

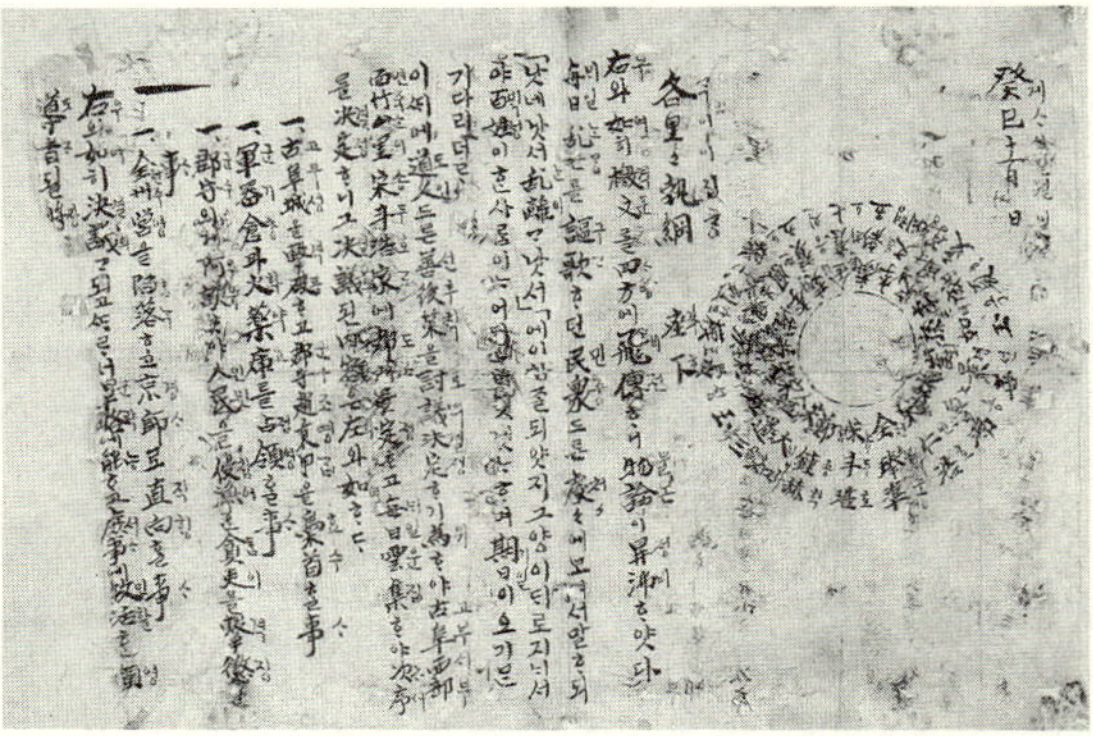

全琫準らが起草したとされる檄文(1893. 陰暦 11)　植民地期に蜂起参加者の一人が備忘録として書き残したもので，沙鉢《サバル》通文といわれる．

1　甲午農民戦争の勃発

日清の貿易競争

朝清商民水陸貿易章程締結以来、日本商人と清国商人は激しく商権を争った。貿易額は一八八五年段階で、日本が一七四万七五四六ドル、清国が三一万四六八ドル、と日本が圧倒していたが、一八九三年段階になると、日本が三四九万二一七五ドル、清国が二〇三万九七八三ドルと、清国が肉薄した。開港場別に見ても、一八九三年段階で輸入量に限ってみれば、釜山では日本が圧倒(八二万九八二二ドル／一万五一四九ドル)していたが、仁川では清国が圧倒(八三万五七七五ドル／一五八万五六一七ドル)し、元山では清国がやや上回っていた(二八万三四四六ドル／三〇万四九三二ドル)。

両者はとりわけ、イギリス産の綿布である金巾《カナキン》などの仲介貿易をめぐって競合関係となり、朝鮮商人を圧迫した。そのため、漢城では一八九〇年の正月を迎えると、鍾路商人たちが政府に対して両国商人の他への移転を要求して、一斉に撤市(閉店スト)する事態にまで発展した。

しかし、こうした経済競争は、日清戦争の原因にはなり得ない。当時日本も清国も、朝鮮市場を独占しなければならないほどの資本主義的発展はしていなかった。朝鮮をめぐる角逐は、政治軍事的意味合いの方がはるかに濃厚である。

また朝鮮から見た場合、金巾を輸入したからといって、朝鮮の土布《どふ》がただちに駆逐されたわけではなく、深刻さはそれほどでもなかった。金巾は奢侈品であり、上流の者の購入に限られていた。農民は依然として自給自足的に土布生産を行い、農村市場でも土布販売はなお優勢であった。土布は肌触りは悪かったが、丈夫であったからである。日本資本主義の発展はやがて朝鮮の土布生産に歯止めをかけることになるが、それは日清戦争以後のことである。

対日貿易と防穀令

当時、日本資本主義の発展に寄与するとともに、朝鮮社会にとってより深刻であったのは、日本商人が主として携わった、金地金や米穀・大豆などの対日輸出であった。日本貨幣が流通するのに加え、金銀銅比価が国際基準と乖離しているのを利用するとともに、詐欺的な物々交換などによって行われた略奪的な金の輸入は、一八九七年日本が金本位制に移行するのに多大な貢献をした。明治初年から日清戦争前年までに諸外国から輸入した金の総額は一二三〇万円ほどだが、そのうち実に六八％は朝鮮からの輸入であった。また、安価な朝鮮の米穀や大豆の輸入は、日本の労働者を低賃金で雇用するのに寄与した。大阪や神戸の労働者は、通常米価の三分の一ほどでそれらを手に入れた。

一八八五年になると、清国人以外の外国人も内地旅行が許可されたため、日本商人は生産地に出向いて米の買い付けを行うようになった。その結果、春に出向いて買い付け、秋に入手するという青田買いが横行した。米穀取引はますます投機性を強めていき、貧農民を苦しめた。八五〜八九年は凶作であったため輸出量は少なかったが、九〇年には前年に比べ、いきなり四七倍ほどに跳ね上がっている(表1)。以後は、九三年の凶作や甲午農民戦争・日清日露戦争などの要因によって落ち込む年もあるが、増加傾向をたどっていく。

表1　米の対日輸出量

年	輸出(円)	年	輸出(円)
1885	27,201	1896	2,852,033
86	10,523	97	6,009,050
87	128,948	98	2,704,887
88	21,472	99	1,689,909
89	54,394	1900	4,694,167
90	2,540,652	01	6,009,541
91	2,225,043	02	3,961,312
92	1,348,796	03	4,781,218
93	470,208	04	1,578,629
94	810,475	05	1,268,502
95	888,022		

出典：吉野誠「朝鮮開国後の穀物輸出について」

こうした中、苛斂誅求によって不正蓄財に走っていた地方官は、商人と結託して投機行為に荷担した。しかし、そうした地方官でさえ、救荒策(凶作時の救命対策)として対日輸出の禁止令を発しなければならないことがしばしばあった。中でも、一八八九年秋に咸鏡道観察使趙《チョ》秉式《ビョンシク》が発した防穀令は有名である。これは元山の日本居留民の強硬な抗議に遭い、いわゆる防穀令事件に発展した。防穀令の発令は、実施の一カ月前に事前通告すれば承認されることが、八三年七月二五日に締結された日朝通商章程で確認されていた。しかし、日本公使館に圧力をかけられた朝鮮政府は、防穀令の解除を趙秉式に命じた。趙がこれを拒否すると、懲戒処分を下したが、各郡の防穀令はすぐには完全に解かれず、事態は賠償金問題に移った。交渉は難航したが、結局九三年五月、朝鮮政府は黄海道での防穀令など他の数件の分と合わせて一一万円もの賠償金を支払うことに応じさせられた。一八九〇年以降日本への米輸出が飛躍的に増大するのは、防穀令が容易には出せなくなった事態とも関係している。

賑恤と民乱

開港は確実に民衆を貧窮化に追いやっていた。しかも財政は逼迫し、本来二四〇万結(肥沃土を加味した面積単位)なければならない田畝は、一八九三年当時六〇万結にまで減少していた。地方官や胥吏の中間収奪のためであるが、にわかには信じがたいほどの数値である。当時、観察使になるには二万～五万両《ヤン》、守令になるには一〇〇〇～二〇〇〇両かかるといわれ、閔氏政権の売官売職ぶりは尋常さを失っていた。しかも、地方官志望者は多く存在し、地方官は頻繁に交替した。新規採用の地方官は赴任早々に、胥吏と結託して賄賂分の金穀を民衆から中間収奪するしかなかった。

開港後の閔氏政権下において、朝鮮王朝の賑恤機能がさらなる弱化ぶりを露呈したのは確実である。八八年当時の慶尚道慈仁《チャイン》県では、総戸数三六一七戸の内、凶作には賑恤の対象となるような三等戸と四等戸が六二％、それ以下の毎年賑恤対象となるような五等戸、籍外戸が二七％であった。そうした貧農民は、満足な賑恤を受けられず、生活不安に怯えた。そして、モスム(作男)や、人足、仲仕、馬夫、牛曳き、輿丁《よてい》(かごかき)、艄子(水夫)・鉱山労務者、製塩夫、織工などの農業以外の仕事に臨時に携わって、ようやく糊口をしのぐしかなかった。

儒教的民本主義の根幹たる賑恤機能が失われた以上、民乱が激化するのは当然である。年代記に現れるものだけで、一八八〇～九三年の一四年間に五二件もの民乱が発生し、そのうち約半分の二五件が一八九〇～九三年の四年間に集中している。全羅道・忠清道・慶尚道の三南地方では、農民戦争までの三年間は飢饉が続いた。当時、「民擾」は年に数十も起きているといわれ(『梅泉野録』)、この四年間の民乱数は、実際はこれをはるかに上回っていたであろう。

東学のゆくえ

開国期、民衆世界に圧倒的勢力を誇ったのは東学であった。一八六四年四月一五日に創建者崔済愚が処刑されて以降も、東学は第二代教祖崔時亨《チェシヒョン》の下、非合法に慶尚道から三南一帯へ、さらには江原道へと拡大していった。しかし、それゆえに東学徒に対する弾圧は、東学に名を借りての苛斂誅求と相俟って厳しいものがあった。

こうした中七一年、東学は李弼済《イピルジェ》の反乱に巻き込まれる。東学徒を自称する李弼済は、没落両班で易姓革命を企図し、崔時亨に再三蜂起を呼びかけ、ついにその同意を得た。そして、蜂起軍五〇〇名が、教祖殉教の忌日である陰暦三月一〇日に当たる四月二九日に慶尚道寧海《ヨンヘ》で蜂起した。しかし、武器を奪って府使を殺害するも、すぐに鎮圧されてしまう。李弼済は九月にも聞慶《ムンギョン》で蜂起したが、これもすぐに鎮圧され、逮捕されたのち凌遅刑に処された。

その後東学への弾圧は厳しさを増していったが、その勢力は拡大しこそすれ、弱まることはなかった。一八八〇年と翌年には、教典『東経大全』（漢文）と『龍潭遺詞』（ハングル）を刊行した。また、組織整備を行い、包接制を敷いた。地域の小組織を接、その上位の大組織を包とし、接の指導者を接主、包の最高指導者を大接主、副指導者を首接主とした。そして、接や包の下に六任制（教長・教授・都執・執綱・大正・中正）を設けて教徒の責任を明確にした。

開港後における民衆の貧窮化と生活不安は、万人の真人化を説く東学への帰依を加速させた。しかし、崔時亨は「守心正気」の内省主義を求めるだけで、民衆の変革に期待していたわけではない。民衆の変革に期待を寄せたのは、異端派である。その指導者は徐璋玉《ソジャンオク》・全琫準《チョンボンジュン》・金開《キムゲ》南《ナム》・孫化中《ソンファジュン》などであった。彼らは、仙薬の服用と呪文の読誦によってたやすく「侍天主」＝天霊に感応することができるとした本来の東学の教えが、民衆世界に浸透していることに理解を示し、それを奨励する立場をとった。

教祖伸冤運動

異端派が独自に大胆な行動に出たのは、一八九二年一〇月（陰暦）のことである。徐璋玉が中心的な役割を果した。忠清道公州《コンジュ》で集会を開き、時の忠清道観察使趙秉式に対して、各郡における苛斂誅求の停止と東学の合法化を訴えた。防穀令事件では、儒教的民本主義の立場から気骨を見せた趙も、ここでは貪官として指弾された。ここに東学教門は重い腰を上げ、全教団あげての教祖伸冤運動が開始される。教祖崔済愚の冤罪をはらして東学を合法化しようとする運動である。九二年末東学徒は、全羅道の首府全州近郊の参礼《チャムネ》で数千名規模による集会を開催した。

しかし、地方集会では事は進まない。そこで、翌九三年三月二八日には公然と伏閤上疏を行うに至る。朴光浩《パククァンホ》を疏頭とする上疏団八〇名は、三日三晩の間、景福宮光化門《クァンファムン》において痛哭した。その一方で、異端派は教門中央主導の上疏活動を生ぬるいと見て、同時期に一万名ほどの東学徒が上京していたのを背景に、独自に掛書事件を起こした。異端派は、「斥倭洋」を訴える掛書を各国公使館や外国人学校、東大門《トンデムン》、南大門《ナムデムン》などに貼り付け、漢城をパニックに陥れた。四月二二日(陰暦三月七日)を期して攘夷を敢行するとしたのである。

当時朝鮮で、民衆が排外主義的感情をもっていたことは間違いない。一八八八年漢城では、外国人が幼児を誘拐、売買し、心臓と眼球をえぐって、薬やスープ、あるいは写真の材料にする、などという流言が広まった。「倭洋一体」のヨーロッパ人と日本人は朝鮮人にとって、そのもたらす不可思議な近代文明ゆえに、得体の知れない恐怖の存在であった。当時この流言は、アメリカ・ロシア・フランスの陸戦隊が漢城に入城したことによってようやく鎮まっている。異端派は、こうした漢城の対外不安に便乗して政府を窮地に追い込もうとしたのである。

しかし、掛書はあくまでも戦術であって、攘夷の実行を意図するものでは決してなかった。異端派は反日感情を強くもっていたものの、真意としては外国人一般に対して排外意識を抱いていたわけでは必ずしもない。攘夷の実行をするまでもなく、掛書事件は終息した。

その後、教門中央と異端派は地方にもどり、四〜五月にそれぞれ二万名ほどを集めて、報恩《ポウン》(忠清道)と金溝《クムグ》(全羅道)で再び集会を開いた。両集会はともに「斥倭洋」と地方官の苛斂誅求反対を訴えていたが、報恩集会が政府に対して妥協的であったのに対し、金溝集会は徹底抗戦的であった。異端派は教門中央を巻き込んで反政府運動を一挙に本格化しようとしたが、報恩集会は政府軍の到着を前に、宣撫使魚允中の説得に応じて解散してしまった。ここに教門中央と異端派の分裂は決定的となった。のちに前者は北接、後者は南接と呼ばれるようになる。

古阜蜂起　全羅道の古阜《コブ》は穀倉地帯であったが、一八九二年より甚だしい凶作・飢饉状況に陥った。しかし、同年五月に古阜郡守に任命された趙秉甲《チョビョンガプ》は、虐政の限りを尽くした。彼は、全羅道監営の免税措置を無視して通常以上の税を取り立て、水利税を不法に徴収し、富民からは勝手に罪名をつけて金銭を奪い取るなど、悪辣な苛斂誅求を行った。

古阜に在住していたのが、東学異端派の全琫準である。金溝集会でも徐璋玉とともに中心的な役割を果たした。彼は書堂(寺子屋のようなもの)教師を営む貧しい在村知識人であった。そして、彼の父彰赫《チャンヒョク》は赴任早々の趙秉甲の虐政に抗議して杖殺されていた。その志を継いで全琫準も二度にわたって呈訴活動を行ったが、一度は逮捕されている。東学異端派の指導者としてかねてより大蜂起を企図していた彼は、ついに九四年二月一五日、村民五〇〇名ほどを率いて郡衙を襲撃し、趙秉甲を駆逐した。そして、武器庫を襲撃して罪人を釈放し、不当に収奪された米穀を村民に分配した。蜂起民はたちまち一万名ほどに膨れあがった。蜂起民は勝利に酔いしれ、蜂起は祝祭化した。全琫準は、やがて陣を天然の要塞である白山《ペッサン》に移し、「輔国安民倡大義」の大旗を掲げた。

しかし、四月一日に新郡守として任命された朴源明《パクウォンミョン》が赴任し、古阜民に懐柔策を取ると、蜂起民は解散してしまう。蜂起民はあくまでも仁政のみを期待したにすぎず、大蜂起など思いもしないことであった。その直後、古阜民乱の収拾のために派遣された按覈使李容泰《イヨンテ》が赴任すると、朴源明の懐柔策はことごとく覆された。また、東学徒とされた民衆は不当収奪を被るに至った。ここに全琫準は、東学徒を引き連れて古阜を脱出し、各地の同志と連携を図っていく。

第一次農民戦争

全琫準は、金溝の金徳明《キムドンミョン》や泰仁《テイン》の崔景善《チェギョンソン》らの協力を得て、たちまち三〇〇〇名ほどの農民軍を組織した。異端派は、いつでも蜂起できるように事前計画をある程度進めていた。その後、東学の大接主として全羅道で最大勢力を誇る異端派指導者の孫化中がいる茂長《ムジャン》に農民軍を集結させた。茂長で四〇〇〇名に達した農民軍は、四月二五日、大会を開いて「輔国安民をもって死生の誓いとする」という布告文を発した。その内容は、塗炭の苦しみに陥っている民を救うべく、私利私腹を肥やす政府大臣や地方官などの仲介勢力を打倒し、「聖化に浴する」ことを訴えたものである。

こうして農民戦争が始まる。目指すは漢城である。全琫準らは武力的に仲介勢力を排除し、国王の前で直に自らの衷情と弊政改革の実現を訴えようとした。農民軍は四月二八日、古阜にとって返して李容泰を駆逐し、四月三〇日には白山で大会を開いた。ここには泰仁の大接主金開南も到着し、総勢は六、七千名となった。そして、大将には全琫準、総管領には孫化中・金開南などが選出された。徐璋玉は、忠清道の農民軍を組織し、全琫準部隊の北上を待つことになった。またこの時、「①人を殺さず、物を害さず。②忠孝ともに全うして、世を済《すく》い民を安んず。③倭夷を逐滅して、聖道を澄清す。④兵を駆して京に入り、権貴(閔氏政権)を尽滅す」という四カ条の行動綱領も発せられた。

農民軍は、竹槍のほか、弓箭・槍・火縄銃などで武装し、その規律はきわめて厳正であった。農民軍は紅色服を着た軍楽隊をそろえ、兵士は出身の邑名を記した旗を持ち、整然と行進した。また兵士は、肩には東学の仙薬にまつわる「弓乙」の二字を書き付けて護符とし、身には「同心義盟」の四字を抱いた。農民軍は、泰仁↓院坪《ウォンピョン》↓泰仁↓扶安《プアン》↓古阜↓井邑《チョンウプ》↓興徳《フンドク》↓高敞《コチャン》↓茂長↓霊光《ヨングァン》↓咸平《ハムピョン》↓長城《チャンソン》↓井邑↓院坪↓金溝↓全州と進撃していき、各地で歓呼をもって迎えられた。ただし農民軍の規律は、儒教的な教化主義に基づいていた。農民軍には、「①降者は愛対せよ。②困者は救済せよ。③貪官は之を逐《お》え。④順者には敬服せよ。⑤飢者には食を与えよ。⑥姦猾《かんかつ》は之を息《や》めさせよ。⑦走者は逐うな。⑧貧者は賑恤せよ。⑨不忠は之を除け。⑩逆者は暁喩《ぎょうゆ》せよ。⑪病者には薬を給せよ。⑫不孝は之を刑せよ」という一二条の軍律もあったが、厳格な処罰主義に裏付けられたものではない。

そのため、いよいよ官軍が来るとの噂が広まると、農民軍には動揺が走り、脱落者も出た。しかし五月一一日、監営軍・郷兵・褓負商からなる二〇〇〇名以上の官軍を古阜近郊の黄土峴《ファントヒョン》で打ち破ると、農民軍の士気はにわかに高くなった。政府では五月六日、親軍壮衛営正領官洪《ホン》啓勲《ゲフン》を両湖《ヤンホ》(全羅道と慶尚道)招討使に任命し、京軍八〇〇名の派遣を決定した。国王幻想をもつ農民軍は、さすがに国王親任の京軍との戦いには恐れをなしたが、五月二七日、京軍に長城の黄龍村《ファンニョン》で不意を襲われると、逆にこれを撃退し勝利を収めた。京軍は新式武装ではあったが、士気はきわめて低かった。こうして農民軍は、全羅道監営の全州に向かったが、守城軍もやはり戦意なく、五月三一日に無血入城するに至った。

2　日清戦争と朝鮮

清国と日本の出兵

この頃、日本の帝国議会では条約改正問題をめぐって対外硬派の勢いが増していた。その対策に苦慮していた伊藤博文内閣にとって、朝鮮の農民戦争の勃発は朗報であった。口実のない戦争を伊藤は嫌ったが、居留民保護を名分とした出兵の機会が訪れたのである。しかも、一八九四年三月二八日、金玉均が上海で閔氏戚族の意を受けた洪鍾宇《ホンジョンウ》によって暗殺されたことで、対外硬論は一層の高まりを見せていた。金玉均は当時、世界的な政治家とまでいわれ、日本で大変な有名人であった。金は、朝鮮の改革をめぐって李鴻章と談判するために上海に行ったのだが、それは暗殺目的のための示し合わされた誘い出しにすぎなかった。彼の遺体は朝鮮政府に引き渡され、死者にもなおなされる凌遅処斬刑に処された。無惨な死であり、閔氏戚族の憎しみは尋常ではなかった。

果たして日本の朝鮮への出兵は、朝鮮政府の慎重さを欠いた清国への支援依頼によって訪れた。それは、当初農民軍の鎮圧に自信のなかった洪啓勲が、五月二三日に政府に要請したことを契機としている。兵曹判書閔泳駿《ミンヨンジュン》は袁世凱と協議し、六月一日、国王はこれを認可した。清軍は六月八日には牙山《アサン》湾に上陸し、二五日には第一次派兵が完了した。その兵力は二八〇〇名であり、牙山・公州一帯に駐屯した。これに対して日本は、七日に駐日清国公使汪鳳藻より朝鮮出兵の通告を受けた。天津条約で決められた出兵通知義務の履行である。しかし日本政府は、朝鮮国王が清軍への出兵依頼を決定した翌二日には、公使館と在朝居留日本人の保護を名目とした朝鮮派兵の閣議決定を行っている。

日本政府は、出兵は日本公使館警護を定めた済物浦条約に基づくものであるとした。しかしこれは、天津条約によって効力が喪失し、何ら名分が立つものではなかった。日本は七日、清国に出兵通知を行い、一〇日には大鳥圭介公使が陸戦隊四二〇名を率いて漢城に入った。また一五〜一六日には、混成一個旅団が仁川に上陸した。この兵力は戦時編制の部隊で、八〇〇〇名という大兵であった。公使館と居留民の保護だけならば五〇〇名ほどで十分であった。出兵依頼された清軍をはるかに上回る派兵は、最初から戦争を視野に入れたものであった。

全州和約

話は農民軍の動きに戻る。全州に到着した際の農民軍の数は五〇〇〇名ほどになっていた。政府軍は士気で劣ってはいたが、洪啓勲は農民軍を追って一日遅れの六月一日に全州に着き、ただちに攻撃を開始した。この時の官軍は、増員された壮衛兵を中心とする京軍一〇〇〇名と江華兵四〇〇名、清州《チョンジュ》兵二〇〇名の総勢一六〇〇名よりなっていた。政府軍は、城内を見おろせる全州南の完山《ワンサン》(標高一八三メートル)に陣を敷き、砲撃を開始した。劣勢となった農民軍は、すぐに総攻撃に打って出たが、数百名の犠牲者を出した。六月六日にも二度目の総攻撃を敢行したが、抜くことはできなかった。

ここに農民軍の戦意も喪失し、急遽休戦交渉が開始された。農民軍は、全琫準は戦死したものとしたうえで、二七カ条の弊政改革に関する請願を国王に上達することを条件に、六月一一日、和約に応じた。いわゆる全州和約である。和約が成立した理由としては、農民軍にとっても政府軍にとっても、決定的な勝利を得る保証がないからであったが、農民軍にとっては農繁期が近づいたことが大きい。しかしそれ以上に決定的なことは、日清両軍の朝鮮派兵を知り、農民軍、政府軍ともに戦争の危機を察知したからである。

日朝戦争と開化派政権の成立

全州和約の後、日清両軍は朝鮮駐留の名分が失われたので、撤兵交渉に入った。もとより、朝鮮政府も両軍の撤兵を求めた。しかし日本は、朝鮮の支配権をめぐる清国との争いに一挙に決着をつけようとし、戦端を開くための口実として、日清両国共同による朝鮮への内政改革案を提示した。宗主国を自認する清国は当然これを拒否した。朝鮮政府も自主的な改革を行おうとし、七月一三日、校正庁を設置した。

そこで、日本は七月一七日、単独で内政改革を朝鮮政府に通告し、二〇日には最後通牒として清国との宗属関係の廃棄と清軍の撤兵を朝鮮政府に求めた。そして、回答期限が過ぎた七月二三日早朝、日本は突如として、強大な軍事力をもって王宮占領を敢行し、一瞬のうちに閔氏政権を打倒した。と同時に、国王を「擒《とりこ》」にして大院君を執政に立て、国王から牙山の清国軍を駆逐してもらいたいとの依頼を引き出した。この依頼を引き出して日清開戦の御旗にするために、日本はまず朝鮮と戦争をしなければならなかったのである。

こうして、日本は二五日、牙山湾外の豊島《プンド》沖で清国艦隊を奇襲攻撃し、八月一日の宣戦布告に先立って日清両国は戦争状態に突入した。さらに、日本は二七日、大院君執政下に開化派の金弘集を首班とする親日開化派政権を樹立させた。この政権は校正庁に代わって軍国機務処を設置し、いわゆる甲午改革を推進していく。

日本軍は、七月二九日、三〇日の成歓《ソンファン》・牙山の戦いで清軍を破り、次いで九月一五〜一六日の平壌《ピョンヤン》の戦いでも清軍を退けた。そして、九月一七日には黄海海戦において清国北洋艦隊に壊滅的な打撃を与えた。その後日本軍は、一〇月下旬には清国領内に進出し、日清戦争の勝敗は決した。

日本の朝鮮支配

その一方で日本は、朝鮮の利権を確保し、戦争を有利に進めていくために、開化派政権に対して、八月二〇日に日朝暫定合同条款、二六日に大日本大朝鮮両国盟約を相次いで強要した。合同条款では、日本は朝鮮への内政改革を合法化するとともに、京釜《キョンプ》(漢城—釜山)・京仁《キョンイン》(漢城—仁川)間の鉄道と電信線の利権を獲得し、あわせて全羅道沿岸の開港を受諾させた。また、両国盟約では、日本軍の糧食確保のために朝鮮政府が最大限の努力をすることを了承させた。

しかし朝鮮は、このような日本の利権収奪や戦争協力に対して、さまざまな抵抗を行った。まず、支配層においては反日上疏が行われ、あわせて開化派政権を批判する上疏活動もあった。また、黄海道や平安道では、清軍と提携して反日政策をとる地方官も現れた。民衆の場合は、やはり黄海道と平安道において兵士の間で清軍に味方する動きがあり、およそ日本軍が進軍するルートでは、物資や人夫の徴発に対して非協力的であり、逃亡も常態化した。

また、農民軍は電信線の切断を盛んに行い、日本軍の情報通信を妨害した。これは、日清戦争を遂行するに当たって大きな障害となった。そして、何よりも農民軍が全羅道一円に盤踞《ばんきょ》して自治を施行したことは、日本にとっても開化派政権にとっても由々しき事態であった。

都所体制

全州和約は農民軍にとって不本意であったが、しかしその後、農民軍は全羅道各地に散じつつ、各邑で自治を行った。慶尚道や忠清道でも東学勢力の強い地域では自治が施行された。都所《としょ》体制である。都所とは各邑に設置された農民軍自治本部をいい、時に自治責任者本人を意味する場合もあった。全琫準は農民軍自治の総責任者として全羅道各地を大都所という職名を帯びて巡回指導し、彼がいる場所が大都所ともいわれた。観察使の任務は一道を視察して邑政を観察することに大きな比重があったが、全琫準の役割はまさにそれに匹敵する。ちなみに、南接派最有力の領袖徐璋玉は、全州和約後漢城に上って不覚にも逮捕され、瀕死の拷問を受けたために、都所体制期以降、表だって登場しなくなる。

都所の組織は、書記・省察・執事・童蒙などからなっており、軍事組織としては騎砲将・一砲・二砲などの階級からなる銃砲隊があった。また、議事員が若干名おり、「議会」と呼ばれる協議議決機関があった。そのほかに、都所と都所、東学徒と一般人の間の紛争を調整し、都所を監察する役職に都察なるものがあった。さらに、都所は「済衆義所」という印章をもって指令や命令を発し、その自治運営は、まことに高度に組織化されたものであった。

都所の改革と執綱所

こうした都所体制下において農民軍は、国王に請願した弊政改革案には関係なく、国法を尊重しつつも、改革政治を急進的に推し進めた。具体的には、平等主義と平均主義を実現すべく、奴婢・賤民の解放や雑税の廃止、横暴な両班や富民などの懲罰、公私債の廃棄、小作料の納入停止、民衆側に立った各種の訴訟処理などである。

都所体制期、目立った動きには、山訟がある。朝鮮では墓相のよいところに先祖の墓を持った場合、子々孫々が栄えるとする風水説が盛んに行われた。そのため有力両班が民衆の墓を取り上げることが頻々と行われていた。山訟はこれにともなう訴訟であるが、都所体制期、民衆は都所に対して山訟をしきりに行うとともに、実力で両班の墓を奪った。

農民軍には一部富民や一般の小農民が多く参加していたが、彼らの多くは農繁期のために帰郷してしまった。そうした中で、農民軍の主体には貧農層や無産者層・賤民などの存在が目立つようになった。自治の急進化はこうしたことが原因であった。

そうした下層民の活動は、農民軍の無頼化と紙一重であった。実際、保身のために農民軍に寝返った胥吏が、不当収奪するような事態も起きるようになった。農民戦争に全責任をもとうとする全琫準にとって、これは断じて許し得ないことであった。このことは、多く在地士族＝郷班出身者からなる他の指導者にとっても同じである。また、すでに五月二二日に任命されていた新全羅道観察使金鶴鎮《キムハッチン》も、この事態を見すごすわけにはいかなかった。彼は全州和約後、すぐに農民軍の武装解除を求めている。だが、自らは二〇〇名ばかりの軍事力しかもっていない。ならば、かえって「官民相和」を目指し、農民軍自らに治安維持を委ねた方が得策である。

そこで七月七日頃、全州において金鶴鎮—全琫準会談がもたれ、治安機構としての執綱所の設置が正式に決定された。それでも、農民軍の統制は容易にできず、金鶴鎮—全琫準会談は八月六日にも行われた。しかし、全琫準に次ぐ影響力をもっていた金開南は南原に盤踞し、「官民相和」を無視して執綱所の設置を最後まで拒んだ。全琫準の苦悶は深まるばかりであった。

ちなみに、従来、執綱所といえば農民軍自治機構とされ、あまりに有名であるが、これは間違いである。植民地期に書かれた呉知泳《オジヨン》の『東学史』によって一般に流布されたものだが、『東学史』は錯誤や虚構も交えた「小説」と銘打たれて刊行されたものである。一般には執綱は、村長(風憲・約正・尊位など)とは別に、村政や風教を監察する任員のことをいった。自治機構はあくまでも都所であり、両者は原則的に区別されていた。『東学史』は貴重な史料ではあるが、史料批判が必要である。そこに書かれてある弊政改革案一二カ条も架空のものである。

3　第二次農民戦争と日本

大陸浪人と全琫準

甲午農民戦争が勃発すると、日本人の中に全琫準と会おうとする者が出てきた。少なくとも、①天佑俠(七月八日)、②海浦篤弥(七月二〇日)、③参謀本部の密偵「日本人某」(九月二日)の三つのグループが全琫準に会っている。全琫準はいずれも「金鳳《キムボン》均《ギュン》」とか「金奉均《キムボンギュン》」という偽名を名のっており、その慎重さがうかがわれる。日本人が全琫準に面会を求めた目的は二つであり、時期によって違う。

天佑俠と海浦篤弥が全琫準に会ったのは日清開戦の前であり、閔氏政権の打倒と清国の排斥を訴えている。天佑俠は、右翼結社の源流ともいうべき玄洋社の別働隊で、内田良平や武田範之を中心とする一四名の一団である。彼らは功名心から、農民軍に行動を起こさせ、それを口実に清国との戦端を開かせようとした。のちに天佑俠は、農民軍を指導したとデタラメを流布したので有名になったが、全琫準はほとんど相手にしなかった。それに対して、海浦篤弥は一八九〇年に朝鮮に渡った、尾崎行雄門下の大陸浪人で、全琫準と最も親しく議論した。海浦は立憲改進党筋の依頼で動いたようであるが、その目的は天佑俠と同じであった。しかし、全琫準は米穀の収穫が終わる秋に再蜂起する考えを示し、海浦の提案を退けた。

最後の参謀本部の密偵「日本人某」なる人物は、陸軍砲兵少佐渡辺鐵太郎の指示を受け、日清開戦後に農民軍の動向を探っていた人物である。渡辺は参謀本部次長の川上操六の指示で朝鮮の情報収集に携わっていた。「日本人某」は全琫準に李王朝そのものの打倒を示唆したが、全琫準は怒りの表情をあらわにして「某」の口をさえぎった。全琫準の国王幻想は色濃い。渡辺は農民軍に不敬の反乱を起こさせ、それを口実に日本軍が出動して一挙に農民軍を葬り去ろうとする意図をもっていたと考えられる。それは、川上操六の意に添うものであった。のちに川上は、本気で農民軍の全滅を期すような「討伐」を行っていく。

大院君の密使

農民軍がすぐに再蜂起しなかったのは、秋の収穫を待たなければならないという農民軍固有の理由が最も大きかったが、大院君が執政の座についたことも、それに劣らず重要である。大院君は依然として民衆に絶大な人気があり、農民軍は弊政改革案の中でも「国太公(大院君)監国」を訴えていた。その大院君が執政になった以上、再蜂起の名分は失われたのである。

ところが大院君は、自らは開化派政権の上にお飾り的に座らされているにすぎず、開化派政権も日本の傀儡にすぎないと考えていた。そこで彼は、農民軍に密使を送り、再起を促した。ただ、それは失敗に終わっている。密使は三南一帯に及んでおり、農民軍だけでなく、儒生の決起をも促そうとしていた。しかも決起するには至っていない。慶尚道尚州《サンジュ》でそれに応じようとする動きが一例あるだけで、以前のことである。これは、近代朝鮮最初の義兵ともいわれるが、本格化することはなかった。安東で徐相轍《ソサンチョル》という人物が決起したが、大院君の密使派遣

大院君と農民軍の接触は八月上旬頃に始まるが、大院君の密書は、農民軍の北上を促し、北方にいる清軍とともに日本軍を挟撃せよというものであった。農民軍には動揺が走り、すぐに決起しようという動きが現れた。大院君は、農民軍と清軍の力を借りて、開化派政権を倒すと同時に、国王を廃位し、孫の李埈鎔を新国王に立てようと企図していた。全琫準はこのことを

見抜いたわけではなかったが、再蜂起には慎重であり、農民軍の動揺を押さえた。

しかし、平壌の戦い後の一〇月初め頃、全琫準は、大院君が発した国王の偽密書を受け取った。大院君は自身の密書では農民軍がたやすく動かないとみて、国王の密書を偽造したのである。それには、「倭寇が宮殿を犯し、禍が宗社に及んで命は風前の灯火である」(「東学党事件ニ付会審ノ顛末具報」『駐韓日本公使館記録』八)と書かれていた。全琫準は、すでに既定の方針通り秋に再蜂起する覚悟でいたが、ここについに再蜂起の指令を農民軍全体に下した。

朝鮮為政者の日清戦争観

ちなみに、大院君は平壌の戦い前の八月二八日、平安道観察使閔丙奭《ミンビョンソプ》に書簡を送り、平壌駐屯の清軍に対して、日本軍を撃退し、あわせて「奸党附日売国の徒を廓清する」ことを要請するよう指示していた。また、国王と、大院君の長男である宮内府大臣李載冕も、同時に同様の趣旨の書簡を送っている。さらに九月一日には、総理大臣金弘集も閔丙奭に書簡を送っている。金はそこで、局外中立の不可避なことを説いていた。開化派の中立化工作は日清戦争直前まで続けられており、兪吉濬と金嘉鎮《キムガジン》は六月六日、日本公使館員の国分象太郎に朝鮮中立化への尽力を依頼している。

国王や李載冕、金弘集らの密使派遣は、清軍勝利の場合の政治的アリバイ作りという側面があった。しかし、本音もうかがわせている。宗主権を強化する清国は、朝鮮にとって苦々しい存在ではあったが、日本はそれ以上に危険な存在であった。朝鮮からすれば、日清戦争は一面、日本の朝鮮侵略に対する清国の防衛戦争という性格をもつものとして理解されていたのである。

農民軍の再起

全琫準は全羅道観察使金鶴鎮の協力を得て彼を運糧官とし、一部返納していた武器を再収用して、一一月上旬、南接農民軍の参礼からの北上を命じた。秋収穫の完全な終了と周到な準備のために出発が遅れている。第二次農民戦争の課題は、反閔氏政権に代わって、反日と反開化派政権に置かれた。そして、全琫準ら農民軍主力は自らを「忠君愛国」の義兵と位置づけた。近代朝鮮最初の義兵といえる。

しかしそうした農民軍に対して、皮肉にも国王は一〇月二四日に「討伐」の伝教を発していた。日本は執拗に農民軍鎮圧を国王と開化派政権に強要していた。動員された日本軍は、南小四郎少佐率いる後備歩兵独立第一九大隊を主力に約二〇〇〇名である。三路に分かれて漢城を南下した。また、釜山からも全羅道方面に部隊が派遣され、黄海道にも派兵された。朝鮮軍は三〇〇〇名ほどで、それに地方の監営軍や民堡軍（義勇兵）が加わった。全琫準と農民軍は、もとより一君万民の理想をもって決起したが、それは見事に裏切られたわけである。

第一次農民戦争以来、東学の教門中央は蜂起に反対の姿勢を示していたが、第二次農民戦争では、全琫準は共同の出兵を呼びかけた。一部の北接はこれに応じたが、南接と北接の争いは第二次農民戦争期間中も続けられた。しかし第二次農民戦争では、第一次農民戦争と比べ、農民軍は飛躍的に増大していた。全琫準部隊は再決起時四〇〇〇名ほどであったが、公州に到着

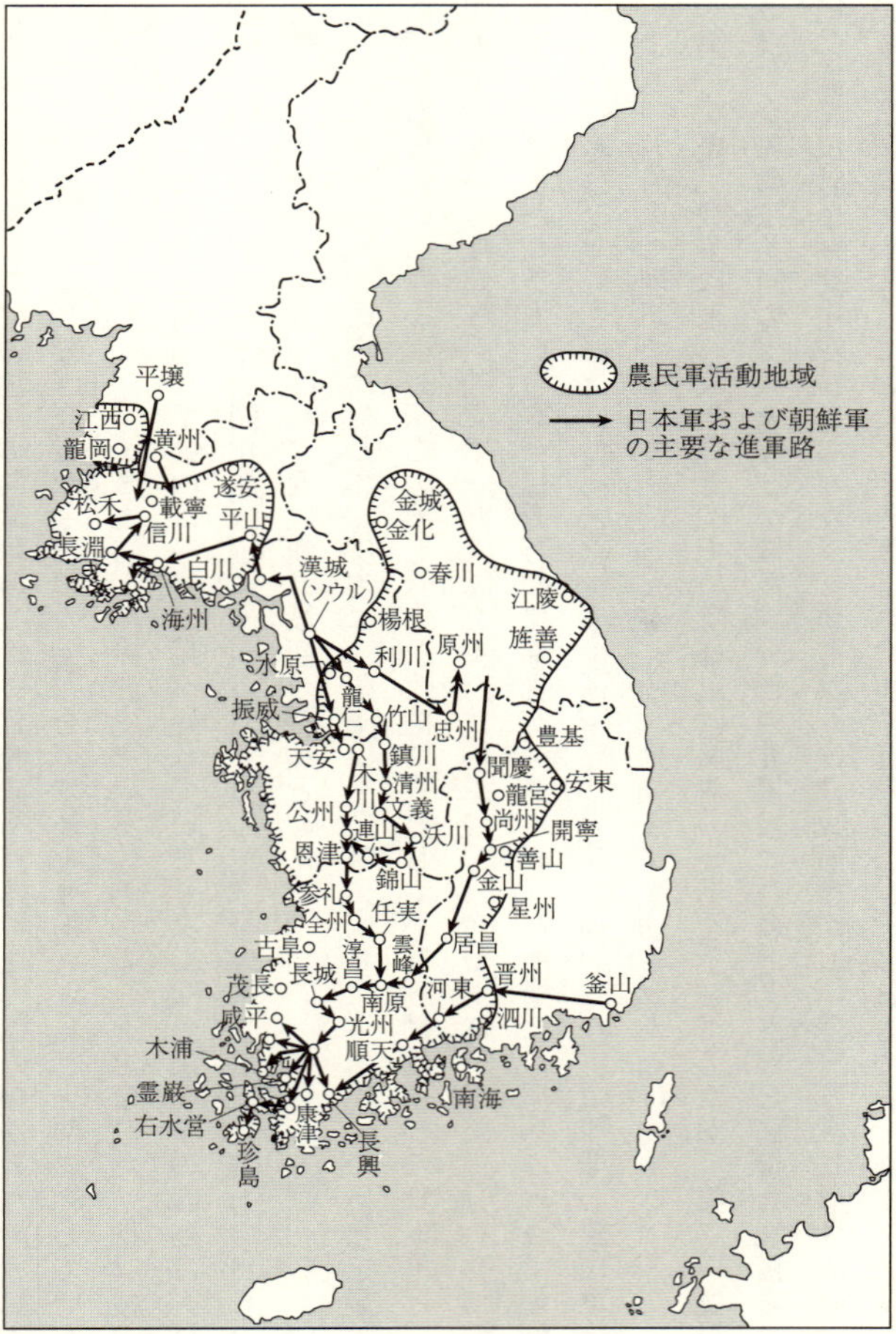
農民軍活動地域
日本軍および朝鮮軍の主要な進軍路
平壌
江西
龍岡
黄州
遂安
松禾
載寧
信川
平山
長淵
白川
海州
漢城(ソウル)
金城
金化
春川
江陵
楊根
原州
旋善
利川
水原
龍仁
竹山
忠州
振威
天安
鎮川
豊基
聞慶
安東
木川
清州
龍宮
公州
文義
尚州
開寧
連山
沃川
恩津
善山
錦山
金山
参礼
星州
任実
全州
居昌
古阜
淳昌
雲峰
晋州
釜山
茂長
長城
南原
河東
咸平
光州
泗川
木浦
順天
霊巌
南海
右水営
康津
長興
珍島

鎮圧軍の進撃路

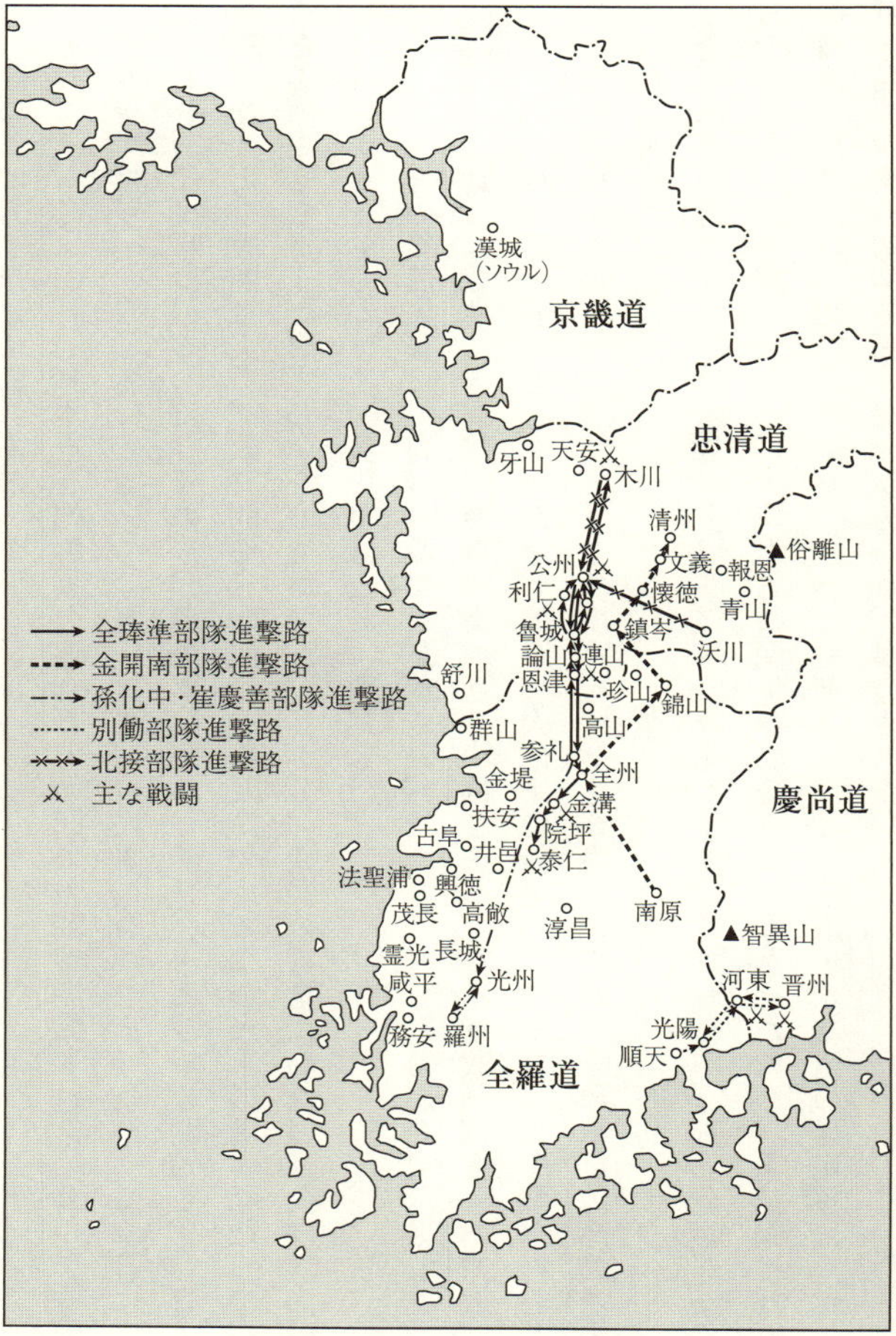

第２次甲午農民戦争図　蜂起軍の進撃路

した際には四万名ほどに膨れあがっていた。

そして一一月二〇日、日本軍と朝鮮軍の連合軍との間で戦闘が開始された。公州を守備する日朝連合軍は、一〇〇〇名ほどである。戦いは当初農民軍に有利であったが、二二日に大激戦が行われ、農民軍は退却した。その後、農民軍は一二月四日、再度攻撃を開始し、翌日には総攻撃となった。戦闘は実に、数日間で五〇回ほどに及んでいる。農民軍の勇猛果敢さは、連合軍を恐怖させるような凄まじいものであった。しかし、武器の質量にわたる違いは人海戦術だけではいかんともしがたく、農民軍は七日に敗退した。

農民軍の敗北

その後農民軍は、魯城《ノソン》・論山《ノンサン》と急追され、一二月一一日には恩津《ウンジン》で大敗した。二一日には金溝に再度数万の軍を集結させて抗したが、やはり敗れ、多くが四散した。八〇〇〇名ほどとなった全琫準軍は泰仁まで後退し、二三日にも激戦が行われたが、ここで息の根が止められてしまう。全琫準軍は解散を余儀なくされ、全琫準は淳昌《スンチャン》の避老里《ピノリ》で二八日に逮捕された。

金開南や孫化中などの部隊も、全琫準部隊の敗北に前後して敗退している。金開南は、一二月七日に泰仁で逮捕されたが、大院君との関係を隠そうとしなかったため、金鶴鎮に代わって全羅道観察使となっていた李道宰《イドジェ》によって処刑された。忠清道・全羅道の農民軍は全体的に朝鮮半島の西南島璵部方面に追いつめられ、殲滅された。

第二次農民戦争では、農民軍の活動は全国の半分にも及ぼうとするものであり、三南地方だけではなく、江原道や京畿道、さらには黄海道にまで飛び火した。黄海道では、「偽東学党」が大量に蜂起し、一時地方権力を掌握した。参加した農民は数十万にも及んでいる。その犠牲者も膨大なものに及んでおり、少なくとも五万名ほどが死亡した。川上操六は、東学農民軍を「悉ク殺戮スベシ」との残虐な命令を下していた。電信線を切断する農民軍は、川上にとって我慢ならない存在であった。「討伐」には朝鮮軍も参加していたとはいえ、朝鮮軍は日本軍の指揮下に動くことになっていた。第二次農民戦争は、近代日本が海外で最初に行った民衆大虐殺事件である。明治の「栄光」は朝鮮の「屈辱」であり、まさに朝鮮民衆の悲劇の上に構築されたものであった。

全琫準と民衆

全琫準は逮捕されたのち、日本軍に引き渡され、さらに漢城に送られた。そして裁判の末、一八九五年四月二三日に死刑の判決が言い渡され、孫化中・崔景善・金徳明・成斗漢《ソンドゥハン》などとともに即刻斬刑に処せられた。全琫準の人となりに感銘を受けた天佑侠などの日本人は助命嘆願に動き、井上馨も助力したが、全琫準はそのような「卑劣心」はもたないとしてこれを拒否した。死はもとより覚悟のことであった。ただ「逆賊」の汚名を被ることだけが全琫準の遺憾とするところであった（『東京朝日新聞』一八九五年五月七日付「東学党巨魁の裁判」）。

甲午農民戦争は、近代朝鮮史上、画期的な民衆運動であった。それは、儒教的民本主義の政治文化を背景に、武力的に仲介勢力を排除し、一君万民の論理に訴えて、民衆的要求を実現しようとするものであった。そして、半年にも満たない期間であるとはいえ、民衆自治を敷いたことは朝鮮史上いまだかつてないことであった。

甲午農民戦争のリーダー・全琫準
(中央，1856～1895)

しかし、一君の統治が及ばない状況が現出する中で、民衆は農民軍幹部の指導を離れ、急進的な改革を目指していった。農民戦争の全過程に責任をもとうとする全琫準の立場からするとき、それはとうてい容認することができないものであった。しかし民衆は、自らが思い描くユートピアを自律的に実現しようとした。そして、自らの改革がたとえ行きすぎたものであったとしても、国王は必ずやそれを赦してくれるはずだという楽観論に酔いしれた。

並々ならぬ「忠君愛国」思想と義兵意識をもって決起した全琫準と、ユートピアの実現を急ぐ民衆との間には、明らかに意識の乖離があった。あまりにユートピア的な民衆にあっては、

「忠君愛国」思想と義兵意識はさほど強いものではなかった。甲午農民戦争は民衆ナショナリズムの巨大な発露であったことは間違いないが、それは多分に始源的性格を帯びていた。国家の命運と自身の運命を一体のものと見るような近代的なナショナリズムとは、いささか違っていたということである。しかし民衆は、体軀の小さかった全琫準を「緑豆将軍《ノットゥ》」と親しみを込めて呼んだ。そして彼の死は、民謡にまでなって植民地期を通じて惜しまれた。「緑豆将軍」は伝説となった。

4　甲午改革と日本

甲午改革

日清戦争下において、開化派政権は甲午改革を推進した。日本の内政改革勧告は、日清開戦の口実にすぎず、しかも日本は清国との決戦に力を注いでいたため、当初、改革は自主的に進められた。改革を推進した軍国機務処の総裁には、領議政の金弘集自らが就任し、開化派の金允植・魚允中・兪吉濬・金嘉鎮・安駉寿《アンギョンス》などが議員として中心的な役割を担った。特に、日本とアメリカの留学経験をもち、当代随一の近代知識をもっていた兪吉濬の存在は大きかった。

軍国機務処は国政全般にわたって審議、決定する強大な権限をもち、設立直後から精力的に法令の制定を行った。設立から三ヵ月ほどの間に、実に二〇八件もの新法令が議決・公布されている。まず第一には、行政機構の改革として総理大臣の下に議政府が置かれ、従来の六曹が内務・外務・軍務・法務・学務・農商務・工務・度支《たくし》の八衙門に改められ、宮中・府中の分離も進められた。また、近代的な警察機構として警務庁が新設された。第二には、人事改革として科挙制度が廃止され、門閥や両班・常人の差別なく、広く人材を登用することが謳われた。第三には、身分制度や家族制度の改革として、両班・常人などの身分を廃止して奴婢や賤民を解放し、あわせて寡婦の再婚の自由、早婚の禁止、縁坐法(刑罰の親族への連累)の廃止などが定められた。第四には、財政改革として、財政機関の度支部への一元化、銀本位の新貨幣の発行、複雑な税目の地税・戸税への統合と金納化、度量衡の統一などが行われた。そして、第五には、清国年号が廃止され、朝鮮建国の一三九二年を元年とする開国紀年が採用された。

ところが、一八九四年一〇月二五日に大鳥圭介に代わって井上馨が新任公使に就任し、翌月から日本人顧問の採用が行われるようになってから、朝鮮保護国化をもくろむ日本の干渉が強まっていった。日本人顧問は、警察顧問が採用されたのを皮切りに各衙門に配置され、四〇名ほどが採用されている。彼らはみな一様に高給を受け取り、しかもその「査閲」を経ることなくしては、行政の執行はままならなくなった。

それ以降、「顧問政治」とまで評されるほどの内政干渉が行われるようになった。

改革のゆくえ

しかし、改革政治の方向性は定まっており、顧問の指導を受けながらも、開化派主導の改革が行われていった。一二月一七日、金弘集政権は亡命先の日本・アメリカから各々帰国した朴泳孝と徐光範ら甲申政変の当事者たちも加えて新たに発足する。兪吉濬は内閣総書として、依然として改革の要にいた。

この第二次金弘集政権では、軍国機務処が廃止されて中枢院がそれに替わったが、実権は議政府に替わって新設された内閣に移った。中枢院は、内閣の諮問機関として位置づけられた。また、地方裁判所―高等裁判所（のち平理院と改称）からなる二審制の裁判所が設置され、司法が行政から分離した。凌遅刑などの拏戮《だりく》法（残虐な処刑法）も廃止された。徴税機構は、管税司・徴税署が設置され、行政機構と分離した。そして、地方制度としては、従来の八道制が二三府制に改編され、郡（責任者―郡守）が府（責任者―観察使）の下に置かれた。さらに軍政改革としては、壮衛営など四営が廃止され、日本軍の訓練を受ける訓練隊が新設された。

一八九五年一月七日、国王は世子や王族・各大臣を引き連れて、清国との宗属関係を廃棄したとする独立誓告文と洪範一四条を宗廟に奉告し、全国に宣布した。そこで高宗は、「今後は他国を頼ることなく、国歩を回復して隆盛にし、生民の福祉を図って、自主独立の基を鞏固にする」ことを誓った。それは、自らの不徳によって甲午農民戦争を招来したことを反省し、一君万民の理想に応えるべく、一国の王として重責を担おうとする覚悟を表明したものにほかならず、賢君宣言ともいうことができる。

改革政治は、五月二一日に第二次金弘集政権が金弘集と朴泳孝の不和によってつぶれて以降も続けられた。五月三一日に朴定陽政権が成立し、実質的には朴泳孝の実権下に改革が進められたのち、さらに八月二四日には第三次金弘集内閣が樹立された。この内閣では、李範晋《イボムジン》・李完用《イワニョン》・安駉寿などの貞洞《チョンドン》派が進出した。貞洞派とは、漢城の貞洞にあったロシア公使館・アメリカ公使館などに出入りしていた官僚たちをいう。彼らは欧米外交官らと社交の貞洞倶楽部を結成していたが、この倶楽部には高宗や閔妃の息もかかっていた。新内閣では貞洞派の進出が反映され、日本を牽制すべく、アメリカ人が訓練する侍衛隊が新設された。

甲午改革は、甲午農民戦争における農民的諸要求に対して、国政全般にわたる近代的な諸改革によって応えようとするものであった。しかし、政治・財政基盤が脆弱であったため、その実現は部分的にしか達成されなかった。しかも急激な「上から」の改革は、民衆の支持を得られるものではなかった。零細な農業や商工業への改革・保護がなされなかったことは、かえって民衆の反発を呼び起こした。何よりも農民は小農回帰的な土地政策を望んだが、甲午改革政権は地主擁護的立場からそれに一切手をつけようとしなかった。また租税の金納化は、農民がますます商品貨幣経済に巻き込まれて没落の道を加速させていくことを意味し、歓迎されるべきことではなかった。民衆は、甲午改革政権とは逆に反近代的な志向をしていた。そして、郷会条規(九五年一〇月二六日公布)を制定して里会・面会・郡会を公認し、自治を促そうとしたが、在地士族の支配を切り崩そうとするものであったために、これも空文化した。さらに、改革が日本の干渉下で行われたことは、近代化と侵略をオーバーラップさせ、反日＝反開化の機運を一層増長させた。

日清講和条約と脱亜日本

一八九五年四月一七日、日清講和条約(下関条約)が締結された。その結果、朝鮮の「独立」が確認され、清国と朝鮮の宗属関係は廃棄された。そして、日本は遼東半島・台湾・膨湖列島を割譲され、賠償金二億両《テール》を獲得した。

しかし、ロシア・ドイツ・フランスは、遼東半島の領有は清国の首府を脅かし、また朝鮮の独立を有名無実なものにするとして、いわゆる三国干渉を行った。三大国を相手に戦争をすることもできず、日本は五月五日にこの干渉を受け入れた。その結果、日本は朝鮮の保護国化政策を根本的に見直さざるを得なくなり、朝鮮進出は日清戦争前よりも後退することになった。日本に代わって朝鮮への進出を加速させていくのはロシアであった。

ここに日本は、「臥薪嘗胆」を合言葉に、ロシアを仮想敵としていく。当時、資本主義的発展が不十分であった日本は、鉄道・電信・鉱山・商港などのインフラ敷設や資源確保に朝鮮支配の重点を置いていたが、それは将来、帝国主義国に飛躍するための布石であった。しかしいずれにせよ、日清戦争の勝利によって、日本の大国化の方向性は定まった。本質において国家主義者の福沢諭吉が、「日清戦争などは官民一致の勝利、愉快とも難有いとも云いようがない」(『福翁自伝』)と無邪気にはしゃいだ所以である。

日本の脱亜は、ここにくっきりとその輪郭が露わになる。日清戦争は野蛮な清国に対する「文野の戦争」として認識され、戦争熱は官民をあげてのものであった。民間では献金運動だけでなく、義勇軍運動・軍夫運動が巻き起こっている。侮蔑感情を込めた「支那」という呼称は、日清戦争までには日本国民の間に定着していたが、以後その言葉には「惰弱」「因循姑息」「驕慢不遜」「無能」「不潔」などのステレオタイプ化された中国イメージが付着していく。そして、「朝鮮」や「朝鮮人」はそうした「支那」よりもさらに劣位に置かれ、「馬鹿」の代名詞にすらなっていく。天佑俠のメンバーである鈴木天眼は、朝鮮人は「獣に近き一種の者」とか「人間外の人間」とまで言って憚らなかった(『二六新報』一八九四年一〇月三〇日付「サラミ」)。

閔妃虐殺事件

三国干渉後、日本の内政干渉や金弘集政権に反発する勢力は、ロシアへの接近を図り、国王や閔妃もロシアを利用して日本の進出を押さえようとした。井上馨は、実現不可能な三〇〇万円という借款供与や電信線の返還などを提示することによって、王室のロシアへの接近を阻もうとしたが、失敗に終わった。また朴泳孝も、ロシア勢力駆逐のために策動したが、かえって閔妃暗殺を企てたとの嫌疑をかけられ、一八九五年七月六日、日本への再度の亡命を余儀なくされた。

閔妃暗殺の企ては、同年九月一日に赴任した、退役陸軍中将の日本公使三浦梧楼によって具体化される。三浦は宮内府顧問の岡本柳之助に指揮を命じて大院君を担ぎ出し、一〇月八日未明、日本守備隊、公使館員、壮士などからなる王宮襲撃部隊と暗殺部隊を王宮に侵入させた。主役は暗殺部隊の壮士たちであった。光化門付近で連隊長の洪啓薫率いる訓練隊と衝突し、洪を戦死させてこれを撃破した。次いで、侍衛隊も撃破して王宮に侵入するや、宮内大臣李耕植《イギョンシク》らを殺害するとともに、公使館警察警部萩原秀次郎の指揮の下、閔妃を寝室に襲って殺害し、死体を焼き払った。目的を達した暗殺部隊は衆人が集まる中、意気揚々と引き揚げた。

実は、王宮襲撃部隊には日本軍の影響下にあった、禹範善《ウボムソン》率いる訓練隊第二大隊も動員され、三浦は当初、閔妃暗殺を大院君の指示の下に起こされたクーデターであるかのように見せかけようとした。しかし、事件はアメリカ人侍衛隊教官のゼネラル・ダイやロシア人建築技師のサバティンによって目撃されていた。

三浦の圧力によって、第三次金弘集政権は改造され、親露派官僚が解任され、兪吉濬・張博《チャンバク》らの親日派官僚が多く登用された。第四次金弘集政権では、すぐに軍政改革が行われ、漢城に親衛隊、地方に鎮衛隊が設置された。また、管税司と徴税署が廃止され、観察使と郡守の徴税権が復活し、その代わりに税務視察官が置かれて観察使と郡守の徴税業務を査察するようにした。やや改革が後退しているが、急激な改革に、財政も人員も意識改革もついていけなくなったためである。なお、太陽暦はこの内閣において採用され、一八九五年一一月一七日をもって一八九六年一月一日とすることが決められた。

金弘集政権は、改革の修正があったとはいえ、なお改革意識は強靭であった。しかし、この政権はもはや完全に正統性を失っており、大変な困難に直面していく。

事件の結末と真相

どれほど閔妃事件を隠蔽しようとしても、国際問題化は避けられなかった。日本政府はやむなく、一〇月一七日、三浦を召還し、一九日には関係日本人も退去させられた。そして、広島において地方裁判所と軍法会議に処分が委ねられた。

こうした事態を背景に、クーデター計画が起きる。一一月二八日、前侍従林最洙《イムチェス》と前侍衛隊参領李道徹《イドチョル》を中心とする王室近侍者と欧米派の要人らは、国王を王宮から脱出させ、「国母」の仇を討つべく、親日派政権を打倒しようとした。背後には、貞洞派の李範晋・李完用・安駉寿らと王室近親者らがいた。彼らは第四次金弘集内閣では排除されていた。しかし、春生門《チュンセンムン》から入城して事を挙げようとしたとき、安駉寿の密告によって十数名が逮捕された。後日に逮捕された者を含め、関係者は三三名に及んでいる。いわゆる春生門事件である。

勢いを得た金弘集政権は、閔妃虐殺事件をうやむやにすべく、前軍部協弁李周会《イジュフェ》以下三名を下手人に仕立て上げ、一二月二八日に処刑した。李周会は第二次農民戦争鎮圧に「功績」があり、のちに朴泳孝の推薦で軍部協弁に出世した人物であった。その処刑には、金弘集による朴泳孝派一掃の意が込められていた。この処刑によって、三浦らは完全に救われ、翌年一月には四八名全員が「証拠不十分」で無罪とされた。

一国の公使が赴任国の王妃をほぼ公然と虐殺するというのは、世界史に類例をみない驚天動地の事件である。しかしこの事件は、三浦の独断によるものでは決してなかった。この事件の背後には大本営が控えていた。参謀次長の川上操六は、朝鮮に融和策を仕掛ける井上馨に代わって、軍事しかわからないような武人の三浦梧楼を新公使に就任させることに成功した。三浦の任務は、電信線の返還と日本軍の撤兵を望む国王と王妃を翻意させることであったが、その究極の作戦が閔妃虐殺であった。事件直前の一〇月五日、三浦は在朝鮮兵站守備隊の指揮権を川上より与えられており、それには首相の伊藤博文も同意していた。三浦が近いうちに何か重大な武力行動を起こすだろうことを、彼らはうすうす知っていた。少なくとも三浦は、川上の意を受ける形で閔妃虐殺を実行したことは間違いない。

義兵の興起

破廉恥きわまりない閔妃虐殺事件に対して、上下の憤りが高まった。三浦らをかばう金弘集政権への不満は極点に達しつつあった。しかし金弘集政権は、なおも改革の手を緩めず、一八九五年一二月三〇日には断髪令を公布するに至った。断髪は急進的に行われ、人々は街路や城門において強制的に髪を切られた。ここに、断髪令は父母から受けた

「身体髪膚」を傷つけるものであり、小中華の礼俗を捨て「倭国」化するものであると考えた衛正斥邪派は、「中華を尊んで夷狄を攘《はら》う」「国母の復讐」などをスローガンにして、反日・反開化の義兵闘争に立ち上がることになる。

九六年一月、江原道原州《ウォンジュ》で李春永《イジュニョン》を義兵将として始まった蜂起は政府軍を破り、二月、江原道寧越《ヨンウォル》に進出した。そして、原州・堤川《チェチョン》・平昌《ピョンチャン》などから集まってきた義兵を糾合し、儒林界の重鎮柳麟錫《ユインソク》を大将に推戴した。すでに、京畿道や忠清道でも義兵闘争は開始されていたが、柳麟錫が内外百官と全国に檄を飛ばすと、義兵闘争は全国化の様相を見せるようになった。義兵は、官僚に親日活動をやめて義兵の側に与し、国家の怨讐をともに討つことを呼びかけた。また、各地で親日的な「倭観察使」や「倭郡守」を処断するとともに、日本人官吏や軍人、商人などを襲った。さらに、電信線の切断や電柱の破壊などを行った。そのため義兵鎮圧には政府軍だけでなく、日本軍守備隊も出動している。義兵には一部東学の残党も加わっていた。四月に全羅道羅州《ナジュ》で起きた開化派官吏・警官に対する殺害事件では、東学残党は邑吏や将校などとともに数百名規模で決起している。

義兵は提唱者の徳望において集結し、その構成員の多くは農民をはじめとした下層民衆である。儒教的な大義名分論を民衆もまた共有していたが、そこには徳望家的秩序観の論理も働いていた。ただし、どれほど熱心に大義名分論を掲げようとも、徳望が劣る場合には、民衆の糾合は難しかった。義兵の勢力は、義兵将の徳望と名声に比例した。

露館播遷

政府が義兵鎮圧に追われている間隙をついて、漢城では二月一一日、ロシア公使ウェーベルと提携した貞洞派の中の親露派である李範晋・李完用らが、ロシア水兵の護送によって国王をロシア公使館に移すという、いわゆる露館播遷《はせん》を敢行した。李範晋は春生門事件で海外亡命していたが、いつしか帰国し、ウェーベルと密議して播遷計画を進めた。貞洞派の政権奪取である。

露館播遷と同時に、開化派政府大臣に対する逮捕令も出された。金弘集は逃亡を勧められたが、それを断って光化門で逮捕され、警務庁に護送される途上、巡検と群衆に殺害された。農商工部大臣の鄭秉夏《チョンビョンハ》も同じ運命をたどった。民衆はその死体に石を投げつけ、引き裂かれた死体は鍾路の道端にさらされた。「死はもとより覚悟している」と言い残した金弘集の死は実に堂々としていた(『梅泉野録』)。信念をもって開化政策を進めたとはいえ、あえて屈辱に耐えて日本の威を借りた自身の行為が、いかに反民衆的であり、と同時に、開化政策そのものがいかに民衆を苦しめるものであったかを、彼はその責任において知っていたのである。

そのほかにも、度支部大臣の魚允中は漢城を脱出したが、やはり民衆に打ち殺された。内部大臣の兪吉濬、法部大臣の張博、軍部大臣の趙羲淵《チョフィヨン》らは日本に亡命し、外部大臣の金允植は済州島に流配された。こうして、一年半にわたった甲午改革は無惨に終息せしめられた。それはまさにクーデターにほかならなかったが、それにしても政権が外国公使館を執政の場とするなどというのは、異常事態である。

親露派政権では、総理大臣兼内務大臣に朴定陽、法部大臣兼警務使に李範晋、外部大臣兼学務大臣に李完用などが就任した。この政権は、発足するとすぐに税務視察官を廃止し、観察使・郡守の徴税権を完全に復活強化した。また、地方裁判権も郡守が再び掌握するようにした。そして、二三府制を一三道制に改め、地方官員を減らした。いずれも改革に逆行する改訂であるが、改革が現実に即応せず、理念的にのみ行われたことのつけが回ってきた結果でもある。ただ、一八九六年九月に議政府官制が公布され、内閣が議政府と改められて首班を参政と称するようにしたことに見られるように、名称の改訂のみで、実質的な意味をもたないような改訂もある。親露派政権には、守旧的性格がともなっていた。

親露館播遷後、国王は宣諭使を派遣したが、義兵闘争は容易には収まらなかった。義兵は、親露派政権も開化派であり、本質は変わらないと見ていた。義兵闘争は五月に柳麟錫部隊が忠清道忠州で敗れて以降、退潮に向かいはしたが、一〇月頃まで散発的に続けられた。その後、九七年八月一二日に至って断髪令は取り消された。

第六章　大韓帝国の時代

洋風正装の高宗(1852〜1919)

1　大韓帝国の誕生

帝国化の願望

下関条約締結後、朝鮮では日本や清国との対等性を明示すべく帝国願望が芽生えてきた。その兆候はすでに、一八八四年の甲申政変当時、開化派の巨頭金玉均による構想に表れていたが、政府レベルで議論されたのは日清戦争開戦直後のことである。清国からの離脱を明確にするために、まず日本公使の大鳥圭介が高宗の称帝(皇帝号を称すること)を提案した。この時は国王も大臣も反対したため、議論は深まらなかった。九五年末頃に、「主上殿下」という呼称を「大君主陛下」に格上げするに止まった。その間、九五年一〇月に称帝計画がもち上がったが、これは日本人顧問たちが画策し、日本以外の国、特にロシアからの「自主独立」を明確にするために推進されたものであった。しかしこれも、アメリカ、ロシア、フランスなどの反対で流産してしまった。

称帝問題が再び議論され本格化するのは、九七年に入ってからである。今回は、朝鮮政府と国王が主体的に推し進めた。同年二月二〇日、国王はロシア公使館から慶運宮《キョンウングン》(徳寿宮《トッスグン》)に還宮すると、春頃から称帝を要請する上疏が続いた。国王はそれを「万万不可」としつつも、陰では官民の上疏を誘い、その結果、称帝上疏運動的な様相が見られるようになった。

こうした動きに対して、列強中ロシアは積極的に対応した。還宮後も、ロシアの影響力は抜きん出ていた。ロシアは他の列強の朝鮮への干渉を防御するうえから称帝は好ましいと考え、同盟国のフランスもこれを承認した。イギリス・アメリカ・ドイツはロシアが積極的に対応していることから冷淡であったが、称帝に反対する理由もなく、結局は承認した。かつて称帝問題に熱心であった日本は、今回のそれにロシアの影がちらつくのを見て好ましくは思わなかったが、反対することもできなかった。宗主国であった清の場合は、「妄自尊大」として反対したが、結局は認めざるを得なかった。しかし、清国が朝鮮を対等な国として正式に認めるのは、九九年九月一一日に調印された韓清通商条約まで待たなければならなかった。

称帝は朝鮮王朝の悲願であった。女真族の清に服属の礼を執って以来、事大志向の一方で自立志向も絶えず存在していた。

帝国化の政治文化

称帝は公論に基づいて行われた。高宗は称帝上疏を受け入れるに当たって、「六軍(天子の軍隊)と万民の願い」によって、やむなく従うのだというレトリックを駆使した。公論重視は儒教的民本主義の基本であり、高宗はそれまでの儒教的な政治文化の尊重の上に称帝を受け入れる必要があった。しかも高宗は、一君万民思想が成熟し、甲午農民戦争において頂点に達したことを十分に認識していた。であればこそ、教祖伸冤運動や甲午農民戦争への対処も、当初は徹底弾圧というわけではなく、宣撫工作や懐柔工作が行われた。徹底弾圧を強要したのは日本であり、それは本来高宗の望むところではなかった。

それゆえ高宗は、洪範一四ヵ条の発布翌日に出した勅令第一四号で、「君が自主しようとしても民に依らなければならず、国が独立しようとしても民と共にしなければならない。爾ら庶民は、心を一にしてただ国を愛し、その気を同じくしてただ君を愛せよ」と、「忠君愛国」を臆面もなく説くことができた。称帝はまぎれもなく、甲午農民戦争を頂点に高まっていった民衆世界における一君万民思想の形成を梃子にして、初めて可能になるものであった。

皇帝即位と帝国の論理

称帝に先立ち高宗は、一八九七年八月、前年に甲午改革下で一世一元として制定された建陽《コンヤン》という年号を廃して光武《クァンム》と改めた。これは甲午改革が日本の影響下に進められたという認識によるためであり、日本からの自立を意味するものであった。そして、同年一〇月一一日、国号を大韓《テハン》帝国と改め、翌日皇帝即位式を挙行する。

即位式は、天命継承を再確認すべく圜丘壇《ファングダン》で行われた。祭天儀式は、朝鮮王朝初期に宗主国の明をはばかって中止して以来、絶えてないことであった。この即位式は、天命の継承者である高宗が、上帝との君臣関係を結んだ正統な君主であることを国民となるべき臣民に見せることに意味があった。

ではなぜ「朝鮮」という国号を廃して「大韓」としなければならなかったのか。それは、

「朝鮮」が古朝鮮に由来するものの、国初に明から冊封される際に命名された国号であったからである。従って、「朝鮮」は帝国としてはふさわしい国号ではなかった。帝国の論理としては、複数の国を服属させた結果として誕生した国家という名分がなければならなかったのであるが、その結果採用されたのが「韓」である。高宗の詔勅によれば、神話・伝説上の檀君《タングン》と箕子《キジャ》による開国以来、朝鮮は領土が分割され「互相争雄」していたが、高(句)麗《コグリョ》の時に馬韓《マハン》・弁韓《ピョナン》・辰韓《チナン》を統合して「三韓《サマン》」とし、李朝に入って北は靺鞨《マルカル》、南は耽羅《タムナ》(済州島)を征服して四〇〇〇里に及ぶ「一統の業」をなしたのだとされる。この歴史認識は間違っているが、細分化された「韓」が高(句)麗時を契機に徐々に拡大して帝国になり、それゆえ「大韓」と称すべきであるという論理である。

大韓国国制

こうして朝鮮は大韓帝国となった。では、その国制はどのようなものかといえば、一八九九年八月に公布された大韓国国制がそれである。これはわずか全九条からなる文章にすぎないが、大韓帝国が「自主独立の帝国」であり、その政治は「万世不変の専制政治」で、皇帝は「無限の君権」をもつことを宣布したものである。皇帝は、統帥権・立法権・行政権・官吏任命権・外交権・恩赦権等、あらゆる権力をもつとされた。

この国制は憲法などでは決してない。そこでは、国家の理念や臣民の権利・義務、果ては官権などにも何ら言及されていない。大韓帝国は「旧本新参」を標榜しており、なお儒教と民本主義は国家の原理であった。すでに、臣民の生命財産に対する保護については、洪範一四ヵ条と勅令第一四号に明記されている。大韓国国制はただ、民本主義理念を当然のごとく実践し、慈愛深くなければならない皇帝の権能について明示したものであるにすぎない。

高宗の独裁

しかし、国制として堂々とそれを明示し得たのは、朝鮮における王権史の観点から見た場合、一君万民思想の到達点であり、君主独裁制の確立という点で、画期的意義を有している。高宗は国制を根拠に、改革政治を推進すべく存分にリーダーシップを発揮していく。閔妃が殺害されて甲午改革勢力が一掃されるとともに、九八年二月二二日には大院君も亡くなったことによって、もはや強大な発言力と意思決定権をもつ者は高宗しかいなくなった。しかも科挙が廃止され、官僚の登用には高宗の意志が格段に反映されることになった。

その結果、勤皇勢力が育成され、胥吏や賤民出身の者までもが大官に起用される事態となった。高宗の個人的な信頼のみを拠り所とする彼らの地位は、浮沈が激しく、高宗は彼らを自由に活用した。その一方で高宗は、在野の上疏を誘導して公論を醸成し、崔益鉉・許蔿《ホウィ》などの徳望ある在野儒生を登用して保守勢力にも配慮した。彼らはむしろ毅然として高宗の開化政策を批判した。しかしその不満を政権側に吸収したことは、一君万民体制の構築という点で、巧みな人事政策であった。

2　独立協会運動

列強の経済進出

日清戦争後、日本と清国の経済進出には決着がついた。一八九六年段階で、朝鮮との貿易額は、日本が一五四七万三七一二円なのに対して、清国は四五五万三五四円であり、その格差は三・五倍ほどに開いた(信夫淳平『韓国誌』一九〇一年)。また、日本は中継貿易から脱して、朝鮮への輸出の九割ほどが国内産となった。そのうち綿布と綿糸の占める貿易比重は、四割ほどになっている。しかも、朝鮮における外国商館の総数二五八のうち日本は二一〇、清国は四二で、日本は、清国はもとより他の欧米列強をも問題にしない状況となった。また、日本人は内地に入り込んで高利貸しを行い、朝鮮人名義で土地を入手し始めた。

日清戦争の際、朝鮮政府は新式貨幣発行章程(一八九四年八月一一日)を公布して新貨幣を発行することを宣言し、それが大量に出回るまでの間、外国貨幣の流通を許した。それには、もちろん日本の強要があった。その結果、日本貨幣が大量に流通した。日本軍は日本貨幣で自由に物品を購入できた。また、第一銀行は一九〇二年五月から第一銀行券を発行して朝鮮に流通させた。そして、各国との借款競争で劣勢であったのを補うべく、第一銀行券による借款を供与

表2　列強に譲渡した主な利権(1896年〜日露戦争直前)

列強名	年月	譲渡した利権
ロシア	1896. 4	咸鏡北道慶源及び鍾城の金鉱採掘権
	1896. 7	咸鏡北道鏡城の石炭採掘権
	1896. 9	茂山・鴨緑江地域と鬱陵島の森林伐採権
	1897. 10	財政顧問アレキセーエフの招聘・海関管理
	1898. 3	露韓銀行の設置
	1899. 3	蔚山・城津などの地を根拠とする捕鯨権
アメリカ	1896. 3	漢城—仁川間の鉄道敷設権(のち日本に譲渡)
	1896. 4	雲山金鉱採掘権
	1898. 1	漢城の電車・電灯・水道経営権
	1899. 9	開城—漢江間の軌道車敷設権
イギリス	1899. 9	漢城—開城間馬車鉄道敷設権
	1896. 4	財政顧問ブラウンの招聘・海関管理
	1898. 3	平安南道殷山の金鉱採掘権
フランス	1896. 7	漢城—義州間の鉄道敷設権
	1901. 6	平安北道昌城の鉱山採掘権
ドイツ	1897. 4	江原道金城の鉱山採掘権
日本	1897. 4	江原道金城の金鉱採掘権
	1898. 9	漢城—釜山間の鉄道敷設権
	1899. 1	漢城—仁川間の鉄道敷設権をアメリカから譲渡
	1900. 2	慶尚・江原・咸鏡道海域の捕鯨権
	1900. 8	忠清南道稷山の金鉱採掘権
	1900. 11	専売人参の委託販売権
	1904. 1	長節浦・珍島浦・蔚山浦の捕鯨基地契約
仏米英独日	1898. 3	絶影島北端の租界地権

した。

列強間の競争は断然日本が先行しており、不安はないかのように見える。しかし、利権は表2に示すように、列強各国に行き渡っていた。そして、何よりも高宗はロシアびいきであり、ロシアもまた満州だけでなく朝鮮への地歩を確実にすべく、策をめぐらしていた。

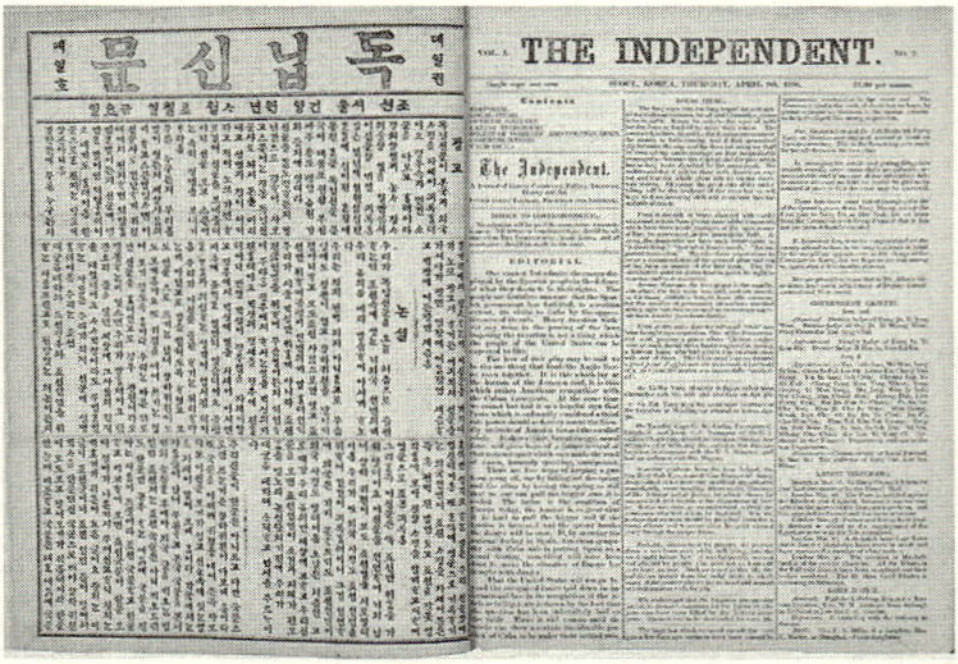
독닙신문
THE INDEPENDENT.

『独立新聞』創刊号　ハングル版と英文版が発行された(1896. 4. 7)

独立協会と『独立新聞』

一君万民体制を標榜する大韓帝国を一面支持しつつ、結局はそれに抗争を挑むことになった近代的な政治結社が独立協会である。独立協会は、甲午改革が挫折した後、改革の精神を継承すべく、大韓帝国の成立に先立って一八九六年七月二日に安駒寿を会長として設立された。その目的は事大外交の象徴的な建造物である慕華館《モファグァン》に独《トン》立館《ニプクァン》の看板を掲げ、迎恩門《ヨンウンムン》を打ち壊して独立門《トンニムムン》を建造することにあった。その主導勢力は、貞洞倶楽部であり、独立協会は当初、政府翼賛的な性格をもって発足した。

一方、独立協会の発足に先立ち、同年四月に刊行された新聞が、純ハングル文の『独立新聞』である。『独立新聞』は、甲申政変の主謀者＝「五賊」の一人で、亡命先のアメリカから帰国した徐載弼を社主兼主筆として発足した。当時医師となってアメリカ国籍を持っていた徐載弼は、甲午改革政権の要請のもとに帰国し、啓蒙活動に従事することになった。独立協会も本来は、徐載弼が主導して作られたものであるが、外国籍であるため会長には就かず、顧問となった。彼は、俸給をもらう中枢院の顧問ともなった。

『独立新聞』は週三回発行の三〇〇部から出発し、短期間のうちに日刊三〇〇〇部にまで成長した。新聞は回し読みされたため、漢城府民を中心に多くの読者が誕生した。発足当初『独立新聞』もまた政府翼賛的な新聞であり、と同時に独立協会の機関紙的役割も果たした。創刊号の論説(一八九六年四月七日付)で、「我々はまず偏向せず、どの党にも関係なく、上下貴賤を分けて接せず、すべての朝鮮人と朝鮮のためだけに公平に人民に語るつもりである」と述べるとともに、末尾を「大君主陛下の聖徳に対して万歳を叫ぶものである」と締めくくっている。これはまさに、『独立新聞』が政府翼賛的であると同時に、君民一体となって国民を創出しようとした新聞であったことを意味している。

独立協会の運動

本来独立協会の任務は、一八九七年一一月二〇日の独立門竣工をもって終わるはずであった。しかし独立協会は、同年八月頃から独立館で週一回の討論会を開いていくうちに、性格を変えていった。公開討論会には毎回政府の要人が出席し、討論は、政治・社会全般に関する論題について参加者と自由討議する形式で進められた。それは、今日においても簡単には見ることができない光景であり、朝鮮における民主主義の第一歩であった。しかしそれは、異議申し立てを認める儒教的民本主義を掲げた朝鮮的伝統政治の発展形態である。民主主義は、それを受容する受け皿があっただけに急進的に運営された。そして、その過程で徐々に反政府的な性格を強めていく。

独立門　1897 年 11 月 20 日竣工

　こうして、鍛え上げられた討論会は、やがて街頭に出て民衆大会形式の万民共同会へと発展していった。そのため、高級官僚らは脱落し、李完用に至っては、外国への利権譲渡に関与したとして除名された。独立協会の主導権は、開化派の流れをくむ徐載弼や尹致昊・李商在《イサンジェ》などが完全に掌握するようになった。

　独立協会が精力的に取り組んだ運動は、まず列強への利権譲渡反対運動である。三国干渉と露館播遷以降、日本を出し抜いて朝鮮に勢力を伸張しようとする姿勢を見せていたロシアは、その最大の標的であった。九八年三月一〇日と一二日、それぞれ一万名と数万名の規模で万民共同会を開催し、ロシア人財政・軍事顧問の解雇を要求すると、政府はその熱誠に屈してこれを承認した。またロシアは、開設したばかりの韓露銀行を閉鎖し、具体化しつつあった釜山絶影島《チョリョンド》の租借も断念せざるを得なくなった。高宗自身はロシアに依存しようという気持に変化はなかったが、独立協会の反対に屈するしかなかった。

勢いづいた独立協会では、利権譲渡の調査を行おうとする急進派が台頭し、彼らはアメリカ・フランス・ドイツ・日本などの利権譲渡にも反対した。ただし、イギリス・ドイツ・日本への警戒は弱く、独立協会は独特の勢力均衡観をもって、ロシアやその同盟国のフランスをとりわけ危険視した。

献議六条

しかし、政府は反撃に出た。中枢院顧問の徐載弼を解雇し、五月一四日、国外退去させた。徐載弼はロシアや日本からも敵意をもたれ、またアメリカも彼の保護に自信がもてず、退去を止めることはできなかった。『独立新聞』は尹致昊が引き継いだ。

独立協会にとって、この事態は打撃ではあったが、その改革の手を緩めることはなかった。次に独立協会は、政府大臣に批判の矛先を向けた。当時王室財政を一身に担っていた宮内府内蔵院卿の李容翊《イヨンイク》の民衆収奪を糾弾して一時流配に追い込み、孥戮法や縁坐法の復活を図る七名の守旧派政府大臣を罷免に追い込んだ。

こうして独立協会は、やがて議会設立要求を含んだ国政改革運動を展開するようになる。その絶頂が九八年一〇月二九日に開催された官民共同会である。この大会には、政府守旧派大臣が作った御用団体の皇国協会をはじめさまざまな社会団体も参加した。参集した人々も、官僚・紳士・学生・労働者・商人・旧賤民など、実にさまざまな階層に及んでおり、参加者は数千名に達した。議政府参政朴定陽をはじめ政府大臣・要人も、そのほとんどが出席した。尹致昊が司会を務める中、議事が始まった。最初に発言したのは被差別部落民である白丁の朴成《パクソン》春《チュン》という人物で、「忠君愛国」の心情を述べた。まさに新しい時代の到来を感じさせる画期的な瞬間であった。そしてこの大会では、①外国に依存せず「専制皇権」を強固にすること、②外国との条約は政府各大臣と中枢院議長が共同で捺印すること、③財政を度支部に一元化して予算と決算を公表すること、④公判は被告が自白したのちに行うこと、⑤勅任官の任命には皇帝の諮問のあとに政府の過半数の同意を要すること、⑥章程(中枢院改造による議会設立案)を実践すること、などの献議六条が採択され、朴定陽内閣はこれに賛同署名した。

独立協会の危機

しかし、独立協会は朴定陽を大統領、尹致昊を副大統領とする共和政府の樹立を画策していると、守旧派の趙秉式によって誣告されてしまう。その結果一一月五日、朴定陽内閣は倒され、趙秉式・閔種黙らの守旧派内閣が誕生した。新政府はただちに独立協会の解散を令し、李商在・鄭喬《チョンギョ》・南宮檍《ナムグンオク》ら一七名の幹部を拘束した。

独立協会の一部に会長安駉寿を中心として、日本亡命中の甲申政変首謀者の一人朴泳孝を帰国させて政権を奪取し、高宗を譲位させて皇太子に代理聴政させようという謀議があったのは事実であった。だが、それはすでに九八年初に発覚し、安駉寿は日本に亡命していた。一一月当時会長の任にあったのは、穏健派の尹致昊である。彼は難を逃れていたため、その意を受けて、独立協会員と漢城府民は解散と拘留の不当を訴えるべく、すぐに万民共同会を開催した。そして、一〇日には拘束者の釈放を勝ち取り、高宗に献議六条の一部実施も約束させた。

にもかかわらず、急進派に主導されていた万民共同会は、その後も解散しなかった。ここに皇国協会に組織されていた褓負商は二一日、吉永洙《キルヨンス》や洪鍾宇の指揮の下に万民共同会を襲撃し、市街戦を演じた。吉永洙は白丁出身の占星術師で、洪鍾宇は金玉均を暗殺した男である。市街戦は翌日にも行われ、万民共同会側は数十名の死傷者を出している。しかし、趙秉式や閔種黙などの家も襲撃され、事態は収拾がつかないような状況となった。

独立協会の解散

そこで高宗は、その日のうちに守旧派内閣を更迭し、新内閣に朴定陽を内部大臣として止め、尹致昊の逮捕令を取り消し、独立協会の再興を許可することにした。また、趙秉式や、褓負商を指揮した洪鍾宇や吉永洙らを流配に処すとした。漢城府民の支持は圧倒的に万民共同会側にあったからである。しかも、高宗は二六日、仁化門《イナムン》に自ら出向いて両陣営に親諭を下し、自らの言葉で独立協会の再興を許可するとともに、献議六条の実施を約束した。

皇帝自らが事態を収拾すべく臣民の前に直接現われ演説を行うというのは、まことに朝鮮的である。一君万民の理念を実践するものであったといえよう。独立協会員は、「聖恩」に感激し、大声をあげて感泣にむせんだという（鄭喬『大韓季年史』上、菊池謙譲『近代朝鮮史』上）。こうした事態は日本はおろか、中国でもあり得ないことであり、朝鮮王権の臣民との近さを物語っている。

ところが、事態は暗転する。独立協会の急進派は依然として万民共同会を開催し続けた。また、議官改選された中枢院では、一一名の大臣候補の一人に朴泳孝を推薦してしまった。ここに危機感を強めた高宗は、一二月二三日、万民共同会に軍隊を投入して強制解散させ、二五日には「民会」禁圧令を出した。独立協会はなお存続したが、翌年一月には消滅した。急進派の一部は反撃に打って出るべく、爆弾テロさえ行おうとしたが、発覚して日本に亡命した。

独立協会の思想

こうして独立協会の運動は終焉し、議会設立運動も失敗に帰した。この運動は、大韓帝国政府が推進しようとする「旧本新参」路線以上に、強固な統合システム＝国民国家システムを構築しようとするものであった。献議六条の第一条には、「専制皇権を鞏固にすること」が謳われていたが、それは「皇帝大権」と同義と理解され、文字通りの皇帝専制政治が標榜されていたわけではない。大韓国国制で標榜された「無限の君権」とは齟齬があり、独立協会は民権伸張に大いに関心を示していた。

しかし独立協会は、愚民観にも強くとらわれていた。確かに独立協会運動は立憲代議政体を標榜したが、その議会構想は中枢院を改革して五〇名よりなる議官を官選と独立協会員で折半するというエリート的発想によるものであった。独立協会は、すぐには民衆に参政権を与えることができないと考えていた。東学や義兵などに対しても強く警戒していた。愚民観もまた、儒教的民本主義の特徴であった。

そして、独立協会は近代文明至上主義の立場から弱肉強食的現実を肯定し、競争の結果としての列強への従属を文明の進歩と考えていた。具体的には、資源開発の名において西欧列強の植民地支配を合理化し、それに対する反帝民族運動を「蛮民」の行為として非難した。そのことは、実は最高指導者の尹致昊の思想に端的に表れていた。彼はイギリスのインド支配を肯定するとともに、文明国支配下の朝鮮改革論の可能性を視野に入れ、しかも真に朝鮮が「独立」するまでには、四、五十年から一、二百年はかかるかもしれないとさえ考えていた。それは実質的に朝鮮の「独立」を放棄したに等しい。

さらに、最後に指摘しておくべきは、大韓帝国と独立協会の近似性である。両者はともに、地主制の再編強化と商工業の発達に依拠しつつ、皇帝―官僚、あるいは皇帝―中枢院(官僚+独立協会)主導によって強固な中央集権国家を作ろうとした。ただ両者の対立は、①列強への利権譲渡の可否、②光武改革派の政権強化にともなう独立協会への危機感、③独立協会の一部や民衆の急進化にともなう光武改革派の独立協会への反発、などによって引き起こされたものであった。

3 大韓帝国の政策

皇室財政の強化

甲午改革では、新設の度支部が財源を一元的に掌握することになっていたが、実際にはそうならなかった。度支部が掌握したのは、地税・戸税だけであり、商業諸税やその他雑多の税は農商工部と宮内府内蔵院が掌握した。変わったのは、現物納から貨幣納に変わったことぐらいであった。皇室費は政府予算に計上されていたが、内蔵院が収税する皇室財源はそれとは別であった。内蔵院では独自に徴税員を派遣して徴税を行ったが、その権限は徐々に強まっていき、魚塩船税・客主(金融・物資仲介業者)課税・鉱税・鉄店税などのほかに、種々の商行為にも課税し、紅蔘の場合は専売制とした。要するに、大韓帝国期の徴税は、度支部・農商工部の政府系統と皇帝系統の二つからなっていた。

しかも、内蔵院は駅土・屯土・牧場土などの公田の管理も行うようになり、皇室財政は肥大化の一途をたどった。逆に財政逼迫した政府の度支部典圜《てんかん》局では、仕方なく補助貨幣である白銅貨を増発した。しかし、本位貨幣をもたないがゆえに法貨としての価値が低く、その価値は下落し続け、インフレが進行した。そこで内蔵院は度支部に剰余資金を貸し出したが、その負債への見返りに内蔵院は地税の直接徴収権までも部分的に掌握するに至った。

光武改革

大韓帝国が推し進めた光武改革は、何よりもこのような強大な財政権限をもつ皇帝によって主導された。実際、宮内府には皇室行政と関わりのない官庁が多数存在していた。通信司・鉄道院・西北鉄道局・礦学局(鉱山に関する実地教育事務)・管理署(山林・城堡・寺刹の管理)・綏民院《すいみんいん》(旅券発行・出入国管理)・平式院(度量衡の統制管理)・博文院(書籍新聞等の保管整理)などである。綏民院に至っては、何故に出入国管理が宮内府によってなされなければならないのか、にわかに理解しがたい。出入国管理を国家が一元的に行おうとするのは国民国家の原則に属するが、これを皇帝直轄にしたことにこそは、大韓帝国の性格がよく示されている。臣民の出入国は、一君万民の理念下においては皇帝自らが把握すべきものであった。光武改革は、まさに宮府一体の体制の下に進められた。

近代的改革を推し進めるためには、何よりも財政的裏付けがなければならない。皇室財政がどれほど肥大し、それが改革事業に投じられたところで、資金不足は膨大であった。そこで、まずなされた重要な事業が量田地契事業である。事業は一八九八年七月から始められ、全国の土地を測量して、土地の所有者には地契を発行し、地税の安定的確保を狙った。この事業は近代的所有権を創出しようとする性格をもっていたが、日露戦争の勃発によって、全国の三分の二ほどの調査が終わったところで頓挫してしまった。日本が韓国《ハングク》併合するや、すぐに行った土地調査事業はこれを継承するものであった。

次に重要な事業は金本位制に基づく貨幣改革と中央銀行の設立計画である。これは九八年頃から計画があったが、金保有量が絶対的に不足し、しかも九七年に金本位制に移行した日本への金輸出を阻止することができなかった。そこで、高宗と内蔵院卿李容翊は諸列強への借款を無差別に企図したが、借款を利権獲得の好機にしようとした列強間の相互妨害によって失敗に帰した。とりわけ、日本の借款妨害は露骨であった。日本は、ひとり朝鮮を経済的に従属させ、利権を独占しようとした。そのため大韓帝国政府は、財政難を克服しようとして、悪貨である白銅貨を駆逐しようとしたにもかかわらず、かえって白銅貨を濫発しなければならないという悪循環に陥った。それでも、一九〇一年二月一二日に新貨幣条例を公布して金本位制を採択し、〇三年三月二四日には中央銀行条例を公布して中央銀行の設立を実現しようとした。しかしいずれも、日露戦争の勃発によってその実現は水泡に帰した。

軍隊と軍事費

光武改革は、このような財政的裏付けがない中で推し進められたが、財政出動が最もなされた部門は、意外なことに軍事費であった。大韓帝国期には、軍制改革によって近代的陸軍が創設され、元帥府(大元帥—皇帝・元帥—皇太子)の下に、中央軍として侍衛隊・親衛隊があり、地方軍としては鎮衛隊があった。日露戦争当時には一万五四四〇名、一九〇七年八月の軍隊解散時には八四二六名の軍隊が存在した(『朝鮮駐箚軍歴史』)。

政府総予算中に占める軍事費は、一八九六～一九〇四年において、一八九六年―一六・二八%、九七年―二三・三八%、九八年―二七・六六%、九九年―二二・三七%、一九〇〇年―二八・一三%、〇一年―四一・〇二%、〇二年―三八・三三%、〇三年―三九・四六%、〇四年―三七・六三%となっている。大変な高率である。これは一見、民本主義に反した軍拡路線といえるかもしれない。しかし、日露戦争に巻き込まれた時においてさえ、せいぜい一万五〇〇〇名ほどの軍隊しかもてなかったということは、それ以前の軍隊があまりに脆弱だった結果にほかならない。日露戦争を目前にひかえ、軍事費増大はやむを得ない支出であった。

大韓帝国は、依然として儒教的民本主義を標榜する国家であった。徴兵制施行の議論はあったが、財源問題や商工業育成への妨害が危惧され、ついに施行されることはなかった。民本主義に基づいた王道論的な「自強」思想は、大韓帝国期に至っても何ら変わっていない。

商工業政策

財源がない中での商工業育成政策は多くの困難をともなったが、内蔵院主導で行われた。内蔵院は、会社に独占的特権を付与する代わりに上納金を納めさせた。そして、官僚が役員として名を連ねる官僚主導の企業を育成した。大韓天一銀行・大韓織造工場・苧麻製糸会社・釜山鉄道会社・大韓鉄道会社などが知られている。内蔵院の一部局である西北鉄道局も李容翊を総裁にし、皇室官庁でありながら、企業活動も行うという官僚資本主義的性格を有していた。また、官僚が天下り的に商人団体の役員に迎えられ、内蔵院の統制を受けつつ独占的特権を行使するような企業活動も見られた。

以上のような企業活動の中で、李容翊が最も心血を注いだのは京義《キョンウィ》(漢城—義州《ウィジュ》)鉄道の敷設である。京義線の敷設権はフランスに譲渡されていたが、着工期限切れのために、一八九九年六月に韓国政府に返還された。李容翊は西北鉄道局を通じて自力敷設にこだわった。その結果一九〇二年五月、ついに着工となったが、資金難から工事はたびたび中断された。この状況を見て日本は独占的な敷設権の獲得に乗り出した。しかし、李容翊の抵抗やロシアの妨害に遭い、容易には取得できなかった。結局日本は、〇三年八月、日本が影響下においた大韓鉄道会社が、西北鉄道局と敷設契約を結ぶという間接的な方法で敷設権を獲得した。これは大韓帝国側にしてみれば、最重要利権の譲渡にも等しく、日本の圧力が強まったと認識された。

総じて光武改革は、資金不足とそれを補うべき借款の失敗によって、見るべき成果を上げることができなかった。また、改革主体勢力が脆弱なことも問題であった。高宗は諸政治勢力を牽制しながら、強力なイニシアチブを堅持したが、しかしそれは勤皇勢力の離合集散を招き、強靭な改革主体勢力を生み出せなかったということを意味する。一君万民の理想は、皇帝独裁を強化して臣権を弱体化させたために、かえって改革政治の足枷となったのである。

光武改革では臣民化政策も行われた。しかしこれも、国民化＝近代文明化というにはなお距離があった。

文明開化政策

確かに、国旗・国歌・勲章制度を創設し、甲午農民戦争以降に戦死した将卒を祀る奨忠壇《チャンチュンダン》も造営するなどして「忠君愛国」思想を鼓吹した。小学校や中学校を設置しただけでなく、外国語学校・商工業学校・医学校・工業伝習所・模範養蚕所・技芸学校などを設置し、日本へ留学生も派遣して教育事業を推進した。裁判所を近代的に運営し、国立病院などの社会資本も整備しようとした。また首都漢城では、西洋式の宮殿や官庁を建造して臣民に国家の偉容を示し、近代的市民公園としてパゴダ(現タプコル公園)を建造した。街灯・電話・電車・映画・劇場なども出現し、人々に近代文明を見せつけ、それを体現していく皇帝と国家への一体感を醸成しようとした。しかし、それらはやはり財源不足から限定的に設置、建造されたにすぎなかった。何よりも「忠君愛国」思想涵養のシステムである義務教育制度を施行することができなかったのは、臣民化政策としては致命的な欠陥であった。

民衆は近代文明に興味を示し、電車などには意味もなく何度も乗るような光景も見られた。しかし、その反動も大きかった。一八九九年五月二六日、ある児童が轢殺されたことを契機にその父が激昂し、群衆とともに電車を破壊焼却し、さらには発電所をも破壊しようとした事件が起きている。当時旱天が続いていたが、やがて漢城の民衆はその原因は、電車が空中の水気を吸収しているからだと噂するようになり、電車への無邪気な興味は敵意へと変わっていった。電車破壊事件はその後一九〇〇年五月一八日と〇三年九月三〇日にも起きている。後者の場合は、軍人も参加し、日本人商店を打ち壊す事態にまで発展した。民衆は近代文明への違和感をもち続けた。

勢力均衡政策

以上のように光武改革は、成功したと評価するわけには決していかない事業であったが、同時に行われた外交政策も綱渡りのような勢力均衡政策に終始した。借款が諸列強に対して無差別になされたのもその結果であった。高宗は、清国で諸列強が大規模な租借地を特定的に独占する動きを見て、それを阻止すべく逆に積極的に、木浦《モッポ》、鎮南浦《チンナンポ》、馬山《マサン》、群山《クンサン》、城津《ソンジン》などの開港政策を推し進めた。開港場を増やしてそこを各国の共同居留地にすることによって、相互牽制システムを作り出そうとしたのである。

こうした勢力均衡政策は一面、諸列強の圧力を受けてきた高宗の独特の嗅覚によるものであったが、他方では、諸列強の朝鮮における行動準則がバランス・オブ・パワーであったことにも規定されていた。イギリスはその調整役の役割をつとめた。

もっとも、朝鮮で突出した勢力を誇っていたのは、やはり日本とロシアである。両国は一八九六年五月一四日と六月九日に、小村＝ウェーベル覚書と山県＝ロバノフ協定を相次いで結んだ。これは露館播遷下の状況を反映し、ロシアの政治的優位を確認するものであった。日本が引いた電信線の管理権だけは認められたものの、朝鮮における両国の政治的軍事的立場は、ほぼ対等のものとされた。これは、朝鮮保護国化を推し進めようとしていた日本から見れば、大幅な譲歩であった。

しかし、九八年四月二五日に結ばれた西＝ローゼン協定では、日本の経済的優位が確認された。ロシアは同年三月二七日、清国からの旅順・大連の租借が決定し、日本の抗議を未然に防ぐために譲歩したのである。独立協会の要求があったとはいえ、ロシア人財政・軍事顧問の撤退や韓露銀行の閉鎖などは、実は西＝ローゼン協定の布石という意味合いをもっていた。

高宗は賢君か？

大韓帝国期、高宗に並び立つ人物は一人もいなかった。それまで大院君や閔妃の顔色を見ながら行ってきた政治を、彼は自らの意志だけで行うことができ、またそうした体制も作り上げた。それは、英祖や正祖が行おうとした一君万民の政治を真に実現しようとする理念があればこそのことであった。高宗は自己批判もし、主観的には賢君たろうとした。

当時、外国使臣の間では高宗を愚君と見るのが一般的な中にあって、デニーのように剛毅・忍耐・寛容を備えた賢君と見る見解もあった。しかし、デニーの議論は高宗を廃そうとする袁世凱への対抗から出された一つの言説である。独立協会への朝令暮改的な対応にも見て取れるように、高宗は大院君譲りの策士的な一面をもちながら、実はあまりに軽率で思慮が足らず、周囲が見えていなかった。また、あまりに情実的な人事は、寵愛と更迭を繰り返し、時に信じがたい事件まで引き起こした。ロシア公使ウェーベルの利を図ったとして、それまで寵愛していた元訳官の金鴻陸《キムホンニュク》を流配に処したところ、その恨みを買い、一八九八年九月一一日の万寿聖節(皇帝の誕生日)に、コーヒーに阿片を盛られたのである。この時、高宗は無事であったが、皇太子の坧《チョク》は異変を起こし、その後終生病弱な身体となってしまった。

一君万民の政治というのは、賢君を前提とするが、それは不断の人格的陶冶と臣下との変わることのない信頼関係の構築の上に初めて成立するものである。それは単なる独裁とは区別される理想主義的な君主政治である。高宗という人物には、君主という立場はいささか荷が重すぎた。そのことはやがて、老獪な政治家伊藤博文との対峙の中で明らかになる。

4　大韓帝国期の民衆運動

大韓帝国の民衆収奪

借款がうまくいかない中で、大韓帝国は光武改革推進のために勢い民衆収奪を強化するしかなかった。そして、この政策も内蔵院主導で行われた。

農民にとって最も怨嗟の的となったのは、屯土や駅土・牧場土などの公田の内蔵院管轄への編入であった。これは皇室による地主的収奪の強化を意味し、小作人として策定された農民の地代負担が引き上げられるとともに、彼らへの管理も強化された。また、その過程で一般農民の民田が編入されることもあり、所有権紛争も多く惹起された。それは、甲午農民戦争において打ち出された、小農保護的な下からの諸要求を圧殺することを意味するばかりか、農民軍の要求を一面受け入れようとした甲午改革の政策からも後退するものであった。

民衆収奪の強化は、財政が逼迫している度支部が管轄している郡においても同様であった。一九〇〇年と〇二年の二度にわたって増税が行われたが、地税台帳の不備で実際には収入は増加しなかった。そこには当然に、以前と変わりない悪徳地方官の苛斂誅求と中間収奪があった。一九〇一年八月、度支部が調査したところによれば、公銭を着服された郡は一一〇に及び、不正郡守は新旧合わせて二〇〇名ほどになっている。彼らは争って罪を免れようとして公銭を返納し、その額は二日間だけで二七万圓にも及んだが、その中で免ぜられるべき者はわずかに十数名しかいなかった(『大韓季年史』下)。

公論のゆくえ

独立協会は、政府大臣を訴えて処罰させるような勝利をいく度か収めたが、これは次第に民間にも郡守告発の機運を生み出した。もちろん、儒教的民本主義を基礎におく一君万民の理念下にあって、民訴や直訴は容易に行うことができたが、独立協会運動が生み出した告発文化は、告発を新聞という公器を通じて行うという点で画期的であった。民衆は観察府や裁判所・法部などに訴えても、告訴された者が権勢家であったり、権勢と結びついている場合には、逆に誣告罪で処罰されることがあった。しかしそうした場合でも、最終的に匿名によって新聞社に訴え出る手段が確保されたのである。

もっとも、当時『独立新聞』のほかに『皇城新聞』も有力紙としてあったとはいえ、近代的公論は全国的にはなお限られていた。民衆は依然としてそれまで慣れ親しんでいた異議申し立ての政治文化に多く依拠した。

当時そうした政治文化を彷彿とさせる、あるささやかな事件が起きている。一九〇〇年八月頃、全羅道の井邑のある市場に四〇〇名ほどの不思議な集団が入ってきた。当局がその目的を調査してみると、「万民ニ代リ何事ニヨラズ郡衙ニ訴フルヲ主義目的トスルモノナリ」と言っているという(「全羅道活貧党状況復命書」『韓日外交未刊極秘史料叢書』九)。万民の意志を官庁に上達することは、なお当然の要請行為と考えられていたのである。

しかし、民訴や直訴が功を奏さない場合には、民乱を起こすしかない。民乱もまた、儒教的民本主義を基礎におく一君万民下の政治文化であった。一君万民の理想は、現実的には幻想でしかなく、むしろ逆に民衆の願望を踏みにじっていくのであるが、理念としては執拗に存続した。こうして大韓帝国期には、多彩な農民抗争が展開され、抗祖・抗糧運動が各地で起きた。

反乱の続発

わけても注目されるのは、東学残党の動きである。大韓帝国政府は、洞約や五家統制などの郷村統制策を強化して密告を奨励し、「東学余党」狩りを執拗に行った。そうした中、第二代教祖の崔時亨も、一八九八年五月原州においてついに逮捕され、七月二〇日に処刑された。しかしそれでも、異端的な東学徒たちは、一九〇〇年には黄海道の海《ヘ》州《ジュ》・載寧《チェリョン》や忠清道の俗離山《ソンニサン》、全羅道の徳裕山《トギュサン》などで活発に再組織化の動きを見せ、日露戦争頃まで完全に消滅することはなかった。

そうした中で大規模に展開されようとした運動が、崔永斗《チェヨンドゥ》・益西《イッソ》父子を指導者として、一八九九年に全羅道北部地方で起きた英学《ヨンハク》の反乱である。英学は東学をカムフラージュした名称であり、キリスト教に仮託して布教活動を行っていた。そして五月二七日、「伐倭伐洋、輔国安民」をスローガンとして掲げ、古阜・井邑・興徳・茂長・高敞などの地に蜂起し、光州から全州、さらには漢城に進撃することを企図した。興徳では、前年二月に、急進的な独立協会員と見られる、自称英学会会長の李化三《イファサム》を指導者として民乱が起きているが、英学の反乱はこの民乱とも関係があった。

英学のほかに西学《ソハク》というものがあったが、これもキリスト教に仮託した東学残党であった。西学徒たちはキリスト教に仮託して西欧各国公使館の庇護を受けつつ、富裕者に対して財産収奪・掘塚(墓荒し)・婦女奪取・私債勒捧(債権証文の強奪)・士族陵辱などの行為をはたらいた。

大韓帝国期には、東学残党以外にも大民衆反乱が企図された。一八九八年二月と一九〇一年五月に済州島で相次いで起きた、房星七《パンソンチル》の反乱と李在守《イジェス》の反乱である。いずれも大韓帝国の徴税強化に反発して起きた抗争である。房星七の反乱は、甲午農民戦争の後に済州島に渡った房星七が、東学と類似した「後天世界の無量楽園の開闢」を説いた新興宗教南学《ナマク》の組織を中心に起こしたものであり、分離主義的性格を併せもっていた。また李在守の反乱は、キリスト教に対する仇教運動的性格を併せもっていたが、房星七の反乱とは違って皇帝幻想を色濃く帯びていた点が特徴的である。

義賊の時代

このほかには義賊集団活貧党《ファルビンダン》の活動が注目される。活貧党は、本来は単なる火賊集団でしかなかったが、一九世紀末にいくつかの火賊が集合して義賊化したものである。彼らは、忠清・京畿・慶尚・全羅各道の広い地域で、両班富豪や富民から財産を奪取した。彼らは本質的にはどこまでも盗賊であったが、しかし時に気まぐれに、奪った金品を貧民に分配した。その組織は秘密性を備えていたが、社会正義を偽りでも標榜したところに民衆の解放願望が反映されていた。

実際、彼らは好んで軍服や警官服を着、また偽官職名を名のった。そこには倒錯した国家権力志向があり、民衆保護意識があった。儒教的民本主義は、義賊さえもが共有するものであったといえる。活貧党は、「一三条目大韓士民論説」という綱領的な文書を公表しているが、その内容は小生産者や小商人の立場から反開化と反侵略を唱え、主観的には社会正義の実現と王道政治への回帰を目指そうとするものであった。大韓帝国期には、活貧党以外にも多くの義賊的集団があったが、彼らの一部はやがて、義兵運動に合流していく。

儒教的近代国家の挫折

大韓帝国期朝鮮の地域社会は、まことに混沌とした状況にあった。端的にいって、儒教的民本主義の論理は教化中心であり、近代的国民主義の論理は規律中心である。それゆえ、国民化を図ろうとする近代移行期にあっては、民衆運動に対する断固たる弾圧が必要になってくる。そのことはフランス革命の際の民衆運動弾圧や日本の新政反対一揆への弾圧を見ても明らかである。しかし、なお儒教的民本主義を国家原理とし、教化を重んじようとする大韓帝国は、必ずしも断固たる徹底弾圧には打って出ようとしなかった。そうするに足る警察力も軍事力もなかったし、またもとうとする強固な意志もなかった。

大韓帝国はあくまでも「旧本新参」に固執し、儒教的な近代国家を創設しようとした。一般に近代国家は政教分離を原則とするが、大韓帝国はあえてそれに反する近代国家作りを選択した。高宗は、儒教的民本主義を回路として近代化と臣民＝国民化を推し進めようとしたが、それは大変な困難をともなうものであった。深刻な財源不足とも相まって、朝鮮では儒教的民本主義の観念は地域社会や民衆世界にあまりに分厚いものとしてあり、高宗もまた、それを最後まで放棄しようとはしなかった。近代国家がしのぎを削る国際政治の中で、ある意味でそれは、自らの伝統・原理・理想にこだわった、壮大にして危険な実験＝挑戦であったといえる。

第七章　日露戦争下の朝鮮

幼い少年も交じる義兵たち

1　日本の朝鮮占領

高宗の中立化政策

一九〇〇年の義和団戦争の鎮圧をもって、列強の世界分割は一応終了する。しかしロシアは、義和団戦争で派兵した軍隊を撤退させようとはせず、満州に居座った。一八九四年一月の露仏同盟の締結以来、ドイツは、極東問題が激化し、ロシアが満州に釘付けになることを期待していた。それに対して日本とイギリスは、朝鮮と清国における相互利益のために、一九〇二年一月、日英同盟を締結して対抗した。これはロシアにとって衝撃であり、ロシアは一〇月より満州撤兵を開始した。

この時期を前後する頃、日露対立に危機感を深めた高宗は、中立化政策を本格化しだしている。まず初めに、一九〇〇年八月、駐日公使に赴任した趙秉式が、高宗の意を受けて日本に提案した。しかし、日本の反対に加え、ロシアもアメリカも消極的であったため、これは失敗した。その後、一〇～一一月頃ロシア蔵相のウィッテが、意外にも列国共同保証による朝鮮中立化案を日本に提案した。しかし、やはり日本はこれを拒否した。

高宗は執拗に、〇一年一〇月にも外部大臣朴斉純《パクチェスン》を通じて再度の中立化案を日本に提案した。

しかし、日本が求めるのはあくまでも日韓国防同盟案であり、中立化案は一蹴されてしまう。もはや平時における中立化案の承認は不可能となった。そこで高宗は、〇三年八月、日露双方に使者を送り、戦時中立化案を提案した。日露開戦の危機は眼前に迫っており、このままでは朝鮮は戦火に見舞われる可能性がある。日本がこれを拒否したのはいうまでもないが、ロシアも日本と戦争するつもりはないということで承認しなかった。

土地買収と日露交渉

日本とロシアの対立は、朝鮮の土地買収をめぐって決定的となりつつあった。両者の土地買収は二〇世紀に入る頃から本格化する。ロシアは不凍港の獲得と満州経営の不振を挽回すべく、朝鮮での土地買収を推し進め、日本はもっぱら軍事的目的から土地買収に着手した。そして、着々と土地買収を行っていった両国は、一八九九年から一九〇〇年にかけて馬山浦《マサンポ》周辺の買収をめぐって鋭く対立する。しかし、この時はロシアが譲歩して戦争には至らなかった。日本は馬山浦に軍隊上陸用地を確保した。

両国が決定的対立を迎えたのは、一九〇三年に入ってからである。ロシアは、同年四月に履行することになっていた満州からの第二期撤退を実行しなかった。そればかりか、かえって満州支配を強めようとした。さらには、五月頃から鴨緑江《アムノッカン》朝鮮側河口にある龍岩浦《ヨンアムポ》の土地を買収して建物群を建築し、森林事業を始めようとした。ロシアは決して朝鮮全土への本格的進出を狙っていたわけではなかったが、龍岩浦への進出は日本の満州進出への防御線的意味合いをもっていた。

両者の対立はもはやのっぴきならない状況に立ち至った。ここに、日露交渉が〇三年八月から開始されたが、難航は必至であった。最終局面でロシアはかなり譲歩し、日本が望む満韓交換論に近い提案をした。三九度線以北を中立地帯とするという自らの案を条件付きではあるが、放棄したのである。しかし、その案が通知される直前の〇四年二月四日、日本は御前会議で開戦を決定してしまっていた。たとえ、開戦決定前であったとしても、日本の開戦決定は覆らなかったであろう。日本は、韓国領土を軍略上の目的で使用することを禁止しようとするロシア側の提案の撤回も求めていたので、この程度の譲歩では開戦を覆すことは所詮できなかった。日本ではすでに、開戦論が押さえようもなく盛り上がっていた。三国干渉以来「臥薪嘗胆」を合言葉にしてきた日本では、官民をあげて開戦熱が沸騰しており、朝鮮の軍事支配を達成することを強く望んだ。日露交渉前の〇三年六月二四日に発表された「七博士意見書」は、日本の日露戦争開戦熱を象徴するものであった。

日露開戦

こうした中、日露戦争に巻き込まれまいとする大韓帝国は、最後の捨て身の賭に出た。一九〇四年一月二一日、大韓帝国は日露の承認がないまま、戦時中立化政策を実行すべく局外中立を宣言したのである。英・独・仏・伊・デンマーク・清国などがこれを承認した。またロシアは、日本との戦争を最後まで望んでいなかっただけに、切羽つまったこの段階で承認に傾いた。ロシアは、朝鮮の戦時中立化宣言を盾にとって、高宗を脅迫して軍事行動を取ろうとしている日本の非道を掣肘しうると考えたのである。戦時中立化策は一瞬の間だが、成功するかに見えた。

しかし、またもや日本はこれを無視した。日本は、二月四日の御前会議で開戦を決定すると、八日には連合艦隊が旅順港外のロシア艦隊に先制攻撃を加えた。ここに戦争が始まった。しかしそれより前の六日、日本は朝鮮の鎮海《チネ》湾と釜山・馬山の電信局を軍事占領している。日露戦争も日清戦争と同じく、朝鮮への軍事行動がまず先にあったのである。そして日本は、二月一〇日「韓国ノ保全」を大義とした対露宣戦布告を行い、次いで二三日、韓国政府に日韓議定書を強要するに至る。議定書の調印後日本は、調印に最後まで反対し、熱心な中立化論者であった李容翊を日本に拉致した。

このことが示していることは明瞭である。日本が望む満韓交換論の内容は、朝鮮半島での独占的利権や内政指導権の掌握のみに止まらず、朝鮮半島を丸ごと軍事占領しようとするものであったということである。日本の望みが独占的利権や内政指導権の掌握だけであったなら、日露戦争は決して起きはしなかった。こうした動機をもつ戦争は、決して防衛戦争などではあり得ない。

日韓議定書

日韓議定書は六カ条からなっており、韓国政府は日本の「施政ノ改善」を受け入れる(第一条)代わりに、日本は韓国皇室の「安全康寧」を図る(第二条)とともに韓国の「独立及び領土保全」を保証する(第三条)ことを謳っている。そして、重要なのは第四条である。日本は第三国の侵害や内乱から韓国の皇室と領土を保全するため「臨機必要ノ措置」を取り、韓国は「日本ノ行動ヲ容易ナラシムル為メ十分便宜ヲ与フル」としたのである。これは具体的には、日本が「軍略上必要ナ地点ヲ臨機収容スル」ことを意味し、韓国に対し日露戦争に全面的に協力することを強いるものであった。もはや大韓帝国は、独立の体を失ってしまった。

その結果韓国は、①電信通信機関が占拠されるとともに、②膨大な鉄道敷設地と軍用地が強制収用され、③軍用役夫も強制徴用されることになり、全土が兵站基地と化するようになる。韓国は、日露戦争当初から日本への従属を決定的なものにされてしまった。日本は五月三一日、「帝国ノ対韓方針」として「政事上及軍事上ニ於テ保護ノ実権ヲ収メ、経済上ニ於テ益々我利権ノ発展ヲ図ル」べきことを閣議決定し、あわせて軍事・外交・財政・交通・通信・拓殖の六大綱領も決定した。今後の朝鮮植民地化の基本政策である。そして八月二二日には、第一次日韓協約を締結して財政顧問と外交顧問に、それぞれ目賀田種太郎とアメリカ人D・W・スティーブンスを指名した。日本人顧問や参与官は、警察や教育・法律など各部門にも配置され、保護国への道が切り開かれた。一九〇五年一一月には、傭聘日本人は一八八名に上っている。

一方、朝鮮従属化の道を暴力的に保証する機関が必要とされ、三月一〇日にそれまでの韓国駐箚《ちゅうさつ》隊が韓国駐箚軍に編成替えされた。朝鮮占領当初、駐箚軍は大本営に直隷しており、駐韓公使や公使館付武官との間に指揮権をめぐって対立することがたびたびあった。いわば、近代日本に特有の二重外交である。そこで、日本政府は八月二一日、駐箚軍を拡大改編して公使館付武官を廃止した。そして、九月五日には長谷川好道を大将に昇進させて駐箚軍司令官とし、その地位は天皇に直隷するものとした。ここに駐箚軍司令官は公使を越えて朝鮮支配の権限を一手に握ることとなり、朝鮮には韓国併合に先立って武断統治が敷かれることになった。駐箚軍は当初九〇〇〇名ほどであったが、戦争終結時には二万八〇〇〇名ほどに膨張していた。このあと、日本の朝鮮軍事支配は、一九四五年の日本の敗戦まで間断なく続くことになる。韓国併合に先立って、朝鮮は実質的に日本の植民地になっていたのである。

朝鮮人の日本観

一般には日露開戦以前、朝鮮は日露のどちらに対しても警戒的であったが、ロシアに対してより警戒感が強かった。世界的に帝国主義政策を露骨に推し進めるロシアの侵略性を十分に理解していたからである。そしてまた、人種を異にするという点が、ロシア脅威論を増幅させた。

一方日本に対しては、警戒しながらも、同文同種の国であるという認識から期待する向きもあった。たとえば、代表的な韓末ナショナリストの一人である李沂《イギ》が、『皇城新聞』(一九〇三年九月一九日)に書いた「日覇論」がそうである。アジアに覇を唱えつつ朝鮮への侵略を強めている日本を批判はしているが、しかし他方で、日本を盟主とするアジア主義に期待をかけてもいた。彼は「万国公法」が日本の対韓侵略の抑止力となっていると考えており、伊藤博文はもとより対外強硬派の近衛篤麿さえ、良識ある人物と評価していた。

こうした認識は、日韓議定書の締結後にあっても変わらない。『皇城新聞』は「慨恨の切」と「憤歎の情」をもってそれへの批判を行い、その廃棄を求める上疏も相次いだ。しかし、他方でロシアへの警戒も強い中にあって、朝鮮官民の日本観は複雑であった。官僚は、ロシアが勝つよりは日本が勝つ方がましであり、しかも本心では日露両国とも朝鮮から出て行ってくれることを願っていた(H・B・ハルバート『朝鮮亡滅』上、太平出版社)。また、「朝野はみな、倭はなお人であるが、露は獣であると思い、もしロシアが倭に勝てば、席巻して南下し、朝鮮人は滅んでしまうので、みな倭勝露敗を祈った」(『梅泉野録』)という。済州島に流配中の金允植も、日本による朝鮮の保護国化に警戒を示しながらも、日本の対露開戦は「世界で最初の義戦である」(『続陰晴史』光武八年三月二日)とまで評した。

そして実際、開戦当初、ロシア軍の北部地方における民財横奪は深刻な事態となっていた。ロシアのコサック部隊があちこちに出没し、朝鮮人が見たこともないロシア貨幣で食糧や飼料を要求し、婦女は山に逃げなければならなかった。それに対して日本軍は、少なくとも当初は相対的に規律を保っていた。

2　軍律体制

日本人の横暴

当初日本軍がどれほど規律正しく、また朝鮮官民が、ロシア軍との相対的意味あいから歓迎したとはいえ、やはり朝鮮人にとって日本軍の進駐は迷惑きわまりないものであった。日本軍は宮殿や官庁・民家を占拠して軍票を使用し、漢城は騒然とした雰囲気となった。また日本軍は、南朝鮮各地の郡守に軍需物資の請求を行い、民衆にその輸送を命じた。

こうした中で、次第に日本への幻滅が増大していく。金允植は、八月頃になると日本義戦観を放棄し、韓国には何ら国権がないことを認識した(『続陰晴史』光武八年八月一三日)。そして翌年四月には、「京外の各所はみな日人の天地となり、その規模は大きく、どうやらわが民を虐殺することを主としているらしい」とまで嘆くようになった(『続陰晴史』光武九年四月一七日)。

実際、日本の横暴な振る舞いは言語道断であった。軍隊とともに入りこんできた日本人の小商人たちは、軍隊の威を借りて傍若無人に振る舞った。外国人に対しても同じであった。わけても悪質なのは人夫であった。彼らは強奪と暴力・虐殺を至るところで行った。一般の民家に入り、食糧や物品を奪って日本刀で家人に斬りつけるなどは日常茶飯事であった。群れをなして村を襲い、米穀金銭などの強奪はもとより、婦女陵辱を行った。ささいなことで村人を射殺したり、官衙に押し入って武器を奪い、郡守を恐喝、殴打するなどの事態も発生している。朝鮮の火賊さえ及ばないような無法ぶりである。

このような事態に対して、日本公使の林権助や代理公使の萩原守一は大変苦慮し、請負業者の取締役を詰責している。しかし、朝鮮側に対しては開き直りを決め込んだ。京釜線工事をめぐって日本人人夫が各地で紛擾を起こしているという報告を受けてはいるが、その中には朝鮮人役夫が日本人人夫を偽称して起こしているものもあるとし、かえって韓国政府の責任を追及した。

軍律体制の成立

朝鮮民衆の日本への反感が醸成されるのは時間の問題であった。早くも一九〇四年四月頃には、そうした行動が頻発している。民衆が最も敵意を抱いたのは、軍用電線と軍用鉄道に対してであり、電信線の切断や電信鉄道材料の窃取、あるいは鉄道敷設物の解体などを行った。

こうした妨害を断固防ぐために施行されたのが軍律である。これは七月二日に、漢城―元山間、漢城―仁川間、漢城―平壌間において施行されたものだが、九日には朝鮮一円に拡大施行された。そして二〇日には漢城内外に軍事警察が施行され、治安妨害と認められる集会の禁止や新聞の事前検閲が行われるようになった。反日活動の封じ込めが図られたのである。軍律はのちに行われる武断政治の原型となるものであり、朝鮮民衆にとって未知の政治文化であった。東学農民軍や義兵が作り出した教化主義に基づく軍律とは、まるで違っていた。

軍用鉄道を破壊した金聖三らを処刑する日本軍(1904)

軍律は、軍用電線や軍用鉄道に害を加えた者、あるいはその行為者を匿った者は死刑に処するという厳罰主義を旨としており、電線・鉄道の保護を「全村民ノ責任」とした。九月二一日に軍用鉄道妨害の罪で、金聖三《キムソンサム》・李春勤《イチュングン》・安順《アンスン》瑞《ソ》の三名が漢城郊外で処刑されたが、見せしめ的効果を狙ったものであった。この処刑は内外に衝撃を与え、フランスのメディアには処刑の光景が絵画として掲載されたほどである。

軍律体制の強化

軍律は一九〇五年一月六日には処罰対象が拡大され、すでに軍事警察が施行されていた漢城内外では、韓国警察の権限は全くないも等しいものであった。その上同年二月、警務顧問に警視庁第一部長の丸山重俊が招聘されると、三月から韓国警察はその監督下に置かれた。

軍律は、間諜や利敵行為、軍人軍属の職務妨害などにも適用することを狙いとするものであり、あわせて集会・結社・言論・出版の取締りを明文化している。わけても「我軍ノ徴発、宿泊及人夫雇入等ヲ妨害シ又ハ之ニ応スルコトヲ拒ミタル者」にも適用したことは重要な意味をもつ。徴用拒否は「間諜」と見なされ、場合によっては処刑された。またロシア人と交際があるとか、ロシア貨幣を所持しているというだけで処刑の対象になった。

軍律はその後、七月と翌年九月にも改訂され、より詳細にし、かつ罰則を強化した。また、要塞を持つ永興湾《ヨンフン》と鎮海湾では、それぞれ〇五年七月と八月に別個に軍律が定められた。ロシア軍がしばしば南下した咸鏡道では、〇四年一〇月以降軍政さえ敷かれた。ちなみに〇四年七月から〇六年一〇月までの間に軍律によって処刑された者は三五名で、拘禁・追放・笞刑・過料を含めた処罰者は二五七名に上っている。

軍用地収奪

軍用地・鉄道用地の収用も、軍律体制によって暴力的に進められた。当初、海軍大臣の山本権兵衛は、外務大臣の小村寿太郎に軍用地収容の結果朝鮮人に損害を与えた場合、補償の用意があることを伝達していた。また小村も、鉄道用地の収容に当たって正当な家屋移転料を支払うようにとの訓令を林権助に与えていた。しかし、実際に朝鮮人に支払われた金額はわずかなものでしかなかった。

たとえば、日本軍は軍用地として龍山《ヨンサン》・平壌・義州に九七五万坪の土地を収用したが、用意された資金はわずか三〇万円である。その内一〇万円は日本人・外国人所有の土地の収用に当てられた。朝鮮人の所有地については残りの二〇万円が充当されたにすぎず、それは韓国政府の保証を取り付ける形で、韓国政府を通じて間接的に賠償金として支払われた。後日紛争を起こさせないためである。九七五万坪の内、少なく見積もって仮に朝鮮人所有地を九〇〇万坪としても、その価格は坪単価二銭ほどにしかならない。当初の買収額は、一坪当たり三〇～六〇銭と想定していたので、この額は一五分の一～三〇分の一でしかない。

日本軍に収用された土地は、数カ月以内に日本人建築業者や商人に払い下げられ、日本人居留民がその上に成長した。軍用地は、日本軍と縁故のある者が地方に出かけ、「これは軍用地だ」といえば、即座に収用された。日本軍は明らかに必要以上に広大な土地を収用しており、本来はその一六分の一でも十分に足りるものであった。

役夫徴用

軍用地・鉄道用地収用と並んで、日本が強力に推し進めた政策は労働力収奪である。日本は道路状況の未整備などのため、韓国国内では軍需物資輸送をもっぱら朝鮮人役夫による担送に依存するしかなかった。また鉄道敷設を迅速に行うため、朝鮮人の労働力を大量に徴発する必要があった。

わけても鉄道敷設役夫の徴用は苛酷に行われた。役夫の徴用は韓国政府の承認があれば、日本人請負業者が任意にできた。そのため日本人の人夫頭たちは勝手に村々を回り、朝鮮人を通常の三分の一ほどの低賃金で暴力的に徴用する事態が頻発した。従わない者には、罰銭を科し、あるいは軍律によって厳しく処罰した。遠方まで出かけた役夫の場合には、その経費のために破産する者が続出した。役夫の労働環境も最悪で、意にかなわない役夫が日本人監督者らによって平然と殺されるような事態が頻繁に起きた。そうした人々は、軍律によって裁かれた者の中には含まれない。まるで奴隷としかいいようのない人々が、全国至るところに群れをなして誕生した。

日露戦争の決着がついた頃のことになるが、一九〇五年八月、開城《ケソン》府駐箚軍司令部は、府尹と郡守との間に一五項目からなる役夫契約を交わした。この契約では、郷長(以前の座首)・村長の連帯責任において役夫を出役させ、もし出役に応じない者は厳罰に付すことが明記された。このような出役方法は、のちに植民地下の総力戦体制期において行われた、いわゆる強制連行の原型になるものである。

こうした奴隷的労働の結果、日本は〇五年一月には京釜鉄道を開通させ、同年四月には一部の橋梁工事を残して京義鉄道を開通させた。京義鉄道は〇四年三月に着工し、全線開通は〇六年四月になるが、全長五〇〇キロメートルに要した工期は、わずかに七三三日であった。両鉄道合わせておよそ九四〇キロメートルであるが、それに動員された朝鮮人役夫は延べ一億人ほどと見積もられている。

ところが、朝鮮人の中には例外的に自ら進んで役夫に応じる者たちがいた。一進会である。一進会は元来、日露開戦後の一九〇四年八月一八日に日本軍部の支援を受けた宋秉畯《ソンビョンジュン》が創立した親日団体である。一二月二日には、日本亡命中の東学第三代教祖孫秉熙《ソンビョンヒ》の指令の下、李容九《イヨング》が組織した民会組織、進歩会がこれに合流した。東学の教門中央は、甲午農民戦争後徐々に開化主義に転回し、日露戦争期には親日化していた。宋秉畯は日本在住が長く、日本人かぶれした人物で、愛国心などとは無縁の男であった。断髪することを条件に合同一進会が誕生したが、李容九率いる多くの東学徒がこれに入ったことによって、一進会の規模は膨れあがった。会員一〇〇万と号したが、一〇万名内外の勢力を誇り、韓末最大の政治・社会団体となった。

東学はなお非合法宗教団体であったが、合同一進会の誕生によって、実質的には合法化された。本来日本を敵視していた東学が、日本の後ろ盾で合法化されたというのはまことに皮肉なことであった。そして一進会は、日露戦争に協力すべく、東学徒を動員して過酷な鉄道工事に無報酬で赴かせた。こうした事態は、甲午農民戦争の理念を完全に裏切る行為であったが、東学教門中央は、朝鮮にとってはロシアより日本の方が信頼できるという幻想を抱いていた。

軍律体制下、日本は強硬な経済政策も行った。貨幣整理である。財務顧問となった目賀田種太郎は、一九〇四年一一月に典圜局を廃止し、韓国政府の貨幣発行権を奪った。そして〇五年一月、貨幣条例を公布し、第一銀行に韓国政府との間に国庫金取扱と貨幣整理事務取扱の契約を結ばせた。その結果、第一銀行の委託を受けて大阪造幣局で製造した貨幣が韓国貨幣として流通することになった。

貨幣整理

当時朝鮮には、開港以前からあった葉銭と開港後に発行した白銅貨があった。各々流通圏が異なっており、葉銭は慶尚道・全羅道・咸鏡道、そして江原道の一部、白銅貨は漢城を中心として京畿道・黄海道・平安道・忠清道、そして江原道の大部分であった。葉銭は実質価値と流通価値が近似していたので、さほどの混乱がなく、漸次公納と買収で回収された。

問題は白銅貨であった。白銅貨は種類がさまざまにあり、実質価値と通用価値が異なっていた。また、私鋳銭や偽造銭も多かった。〇五年七月一日、一斉に新貨幣との交換を開始したが、新旧貨幣交換規則の公布と実施の間には三日間の余裕しかなかった。白銅貨の交換比率は三つに分けられ、甲種―二銭五厘、乙種―一銭、丙種―交換不可と定められたが、交換の情報を知らない朝鮮人が続出した。また、少額交換には応じない方針が採られた。そのため、大部分の朝鮮人が損害を被った。逆に日本人は開港場などで悪貨の取引を拒否していたので、何ら問題がなかった。中には、交換の情報をいち早く知り、事前に悪貨を手放して良貨を買い集め、大きな利益を得た日本人もいた。さらに、朝鮮には於音《オウム》という手形があり、信用ある商人が発行して問題なく流通していたが、これはすべて無効とされた。一瞬のうちに不渡りが続出して大変な事態となった。

こうして倒産する商人が続出し、自殺者まで出る始末となった。商人らは政府に嘆願するとともに皇帝に直訴し、その結果皇帝は三五万円の内帑金《ないど》を下賜した。すでに〇五年四月二九日、近代的な法整備を意図して「刑法大全」が公布され、直訴は禁止されていたが、一君万民の儒教的君主像になお固執する高宗は、憐憫の情を表すしかなく直訴を受理した。しかし目賀田はそれを阻止し、内帑金をもって手形組合を作ったり天一銀行に貸したりなどした。

以後、新貨幣は韓国法貨として本位貨幣となり、その発行業務を担当する第一銀行は中央銀行となった。それまで発行されていた第一銀行券も、補助貨幣を除きそのまま流通した。日本は朝鮮を完全に同一通貨制度圏としたことによって、商品輸出入や資本輸出を円滑に行い、植民地支配のための資金をたやすく調達することができるようになった。その後、第一銀行韓国支店は〇九年一一月に営業を開始した韓国銀行に引き継がれた。そして韓国銀行は、韓国併合後の一九一一年八月、朝鮮銀行になった。

3　反日抗争

植民地化に対する朝鮮官民の抵抗は、さまざまな形で行われている。まず中央では、早くも一九〇四年三月二九日に、日韓議定書調印に関係した大官らを殺害しようという爆裂弾投下事件が起きている。主謀者は前鉄道院監督吉永洙で、現鉄道院監督李圭桓《イギュハン》、平壌連隊長崔洛周《チェナッチュ》、同参領李在華《イジェファ》などが関係し、吉が影響力をもっている褓負商が実働部隊として動いた。

爆裂弾投下事件

吉は白丁出身の無識の人物であったが、占星術に長けていたことから宮中に出入し、皇室の寵愛を受け、褓負商組合である商務社を組織した。独立協会弾圧にも重要な役割を果たした無頼的性格をもつ人物であった。そうした人物にあっても、日本の朝鮮軍事占領は耐えることのできない亡国の事態であると認識された。いや、そうした人物であればこそ、かえって激憤を押さえることができなかった。義賊の心性と似ている。

義挙通文未遂事件

日本の軍事占領に対して全面的に抗拒しようとした運動は、義挙通文計画である。これは各方面でなされ、一九〇四年六〜七月に少なくとも三件が発覚した。まず発覚したのは、幼学金箕祐《キムギウ》が中心となり、「腔血の沸激に忍びず」として一三道に義挙を呼びかけた通文未遂事件である。平理院判事の許蔿が相談を受けたが、許蔿は時期尚早を唱えてそれを止めた。

次いで発覚したのは、許蔿以下、前議官李相天《イサンチョン》・農商工部商工局長朴圭秉《パクキュビョン》・漢城裁判所首班判事金璉植《キムヨンシク》・前参奉鄭薫謨《チョンフンモ》の五名の名義による排日義挙通文事件である。その内容は、日韓議定書体制を皇室と領土の危機として日本の韓国併呑の意を告発するとともに、ロシアとの戦いで日本兵士が疲れ、日本の国論も一致していない今の間隙をついて挙事しようというものであった。許蔿の名が上がっているが、彼は関与していない。

この時期、許蔿は反日官僚の指導的存在と目されており、彼の意志に関わりなく彼を義兵計画の中心に据えようとする動きがあった。前議官の呂永祚《ヨヨンソ》が計画した義挙でも、檄文への許蔿の署名が期待されていたが、許蔿はやはりこれを断っている。この義挙計画ではその遂行過程で高宗の関与まで訛伝された。

高宗・重臣・名儒の動き

高宗への働きかけは、現実のものとなっている。一九〇四年九月にはのちに殉国する閔泳煥《ミンヨンファン》が、親日官僚を弾劾するとともに、日本の国権の強奪を防御する急務を密奏した。また、高宗への働きかけは、正規の上疏によってもなされている。目立ったのは、ここでもやはり不屈の上疏者崔益鉉であり、数度にわたって親日官僚の弾劾と排日を訴えた。〇五年三月一日に行った上疏には、許蔿も関係しており、崔益鉉とともにに駐箚軍の取り調べを受けている。

高宗はこうした働きかけに応じるまでもなく、独自な行動をとっていた。高宗は、「現状維持」「門戸開放」を原則とするアメリカへの期待をもち、駐日公使趙民熙《チョミニ》を通じて、〇四年六月にアメリカ政府に韓国の独立維持を求める密書を送っていたのである。また閔泳煥も、元議政府参政韓圭卨《ハンギュソル》とともに謀り、獄にあった元独立協会員の李承晩《イスンマン》を出獄させてアメリカに密使として送り、〇五年一月に国務長官ヘイと会談させた。李承晩は、七月にも牧師の尹炳求《ユンビョング》とともに、セオドア・ローズベルト大統領に面会を果たしている。しかし、東アジアでフィリピンを植民地にもつアメリカは日本に友好的であり、李承晩らの韓国保全請願を拒否した。

そしてやはり、頼むべきは日本と戦争をしているロシアであった。一般とは違い、高宗のロシア観は一貫して友好的であった。高宗は旅順陥落後の〇五年二月七日、ロシア皇帝ニコライ二世に日本軍を朝鮮から撃退するよう求める密書を出した。そこでは、日本が「万国公法」を無視した横暴を朝鮮で行っているにもかかわらず、どの国もそれをとがめない不義を嘆き、ロシアへの期待が表明されていた。

義兵の再起

断髪令以来の義兵の再起は、萌芽的には日露戦争開始とともにあったが、その理念は〇四年九月、江原道春川《チュンチョン》において「皇城義兵所大将金」の名義で出された通文によく示されている。そこでは、日本軍の土地略奪と役夫募集が糾弾され、漢城への進撃が訴えられていた。これは実際には義兵化しなかったが、日露戦争下の朝鮮の現実が端的に示されていた。同じ頃洪川《ホンチョン》でも義兵の動きがあったが、これは「為国報忠、為民保安」をスローガンに掲げて、実際に活動を開始した。また、一二月には、柳麟錫の指揮下にある義兵が平安北道で決起した。同月には、全羅道でも宗儒会と名のる団体が各地に決起し、一進会打倒のための活動を開始した。

そして、翌年四月には京畿・江原・忠清・慶尚北道などで「討倭」を旗印とする義兵が起きた。その後義兵化の動きは徐々に拡散していき、八月には元容八《ウォンヨンパル》が忠清北道丹陽《タミャン》で蜂起した。元容八部隊は一〇〇〇名ほどにもなる大規模のものであったが、まもなくして鎮衛隊に鎮圧され、元は逮捕され獄中死した。しかしこれを契機に、清風《チョンプン》や京畿道竹山《チュッサン》でも義兵化の動きが相次いだ。日露戦争下における義兵は一般には小規模のものであり、実際には活動しないものもあったが、これらはのちの本格的な義兵活動の前触れとなるものであった。

地方官の抵抗

地方では義兵の動きとは別に、地方官も抵抗の姿勢を示した。日露戦争直前、慶尚北道観察使李允用《イユニョン》は、日本人に土地家屋を売却することを厳禁し、米穀の販売も制限している。日本の土地収用が強制的になる日露戦争後には、金山《クムサン》郡守の金海成《キムヘソン》が、京釜鉄道工事をたびたび妨害した。朝鮮人が日本人に土地家屋を売却ないし賃貸した場合にはその者を獄に入れている。

地方官の抵抗は、軍政が敷かれた咸鏡道でも見られた。観察使代理の李允在《イユンジェ》は、民衆に日本軍への協力をしないようにさせ、軍政を無視して物資供給をしないようにした。そのため罷免されたのだが、その後も官印を手離さず、日本軍に不利な布令を出し続けた。また、北間島監理使の李範允《リボムユン》は、〇五年六月に茂山《ムサン》・会寧《フェリョン》・鍾城《チョンソン》・慶源《キョンウォン》の各地方鎮衛隊からモーゼル銃三〇〇丁を徴収して射砲隊を組織し、自ら隊長となって日本軍の行動を妨害した。

日本への敵対意識は一般兵士にもあった。同年九月三〇日、公州の韓国軍兵士六、七〇名が日本人商店を襲い、日本人巡査と日本人官員に暴行を加えている。理由は韓国兵の日本軍に対する遺恨にあり、たまたま居合わせていた群山領事代理の横田三郎を軍人と誤認して襲撃に及んだものである。

民衆の反抗

民衆の場合は、まずもって即時的な抵抗を示した。日本人とのトラブルは日常化していた。中でも、一九〇四年六月に朝鮮人三〇〇名ほどが鉄道請負人田中なる人物を襲おうとし、駐箚憲兵隊などに鎮圧された事件は特記される。また、目立って多い抵抗は、鉄道妨害であった。これは置石や投石、時に列車転覆などを行うものであるが、投石事件に限っていえば、〇五年四月から〇六年七月までの間に五五件発生している。

日本軍の土地収奪に対しては、訴願運動が展開された。〇五年八月九日、龍山の軍用地収用に反対して、一二洞民数千名が漢城府に押しかけ、時価による収用と移転日の延期などを哀訴し、政府の無能を悪罵する事態となった。訴願運動は暴動化し、民衆は投石などの暴力に打って出て、憲兵隊が出動したため、現場はさながら戦場と化した。重軽傷者が出て、一九名が憲兵隊に逮捕された。訴願運動は翌日には、内部大臣への哀訴にまで発展した。狼狽した吏員の中には、失踪したり辞職して責を免れようとする者も現れるに至った。また、日露戦後のことになるが、〇六年五月平壌では、日本軍の土地収用は必要以上の土地を収用していると呼訴する民衆騒擾が起きている。

日本の土地収用政策の中で最も悪辣な計画は、林権助と元大蔵大臣官房長長森藤吉郎との共謀による韓国荒蕪地開拓計画である。これは韓国政府の委任を受けて二五年を限って荒蕪地の開拓を日本人が行い、一四一万町歩にも及ぶ土地を日本が独占的永久的に支配しようとするものであった。この計画が知れわたるや、宋秀万《ソンスマン》らによって輔安会が組織されたが、これには官民がともに加入し、全国的な反対運動が繰り広げられた。とりわけ〇四年七月二二日には、漢城で三〇〇〇名の大集会が開かれた。これは憲兵隊によって弾圧されたが、韓国政府が日本側の要求を断固拒否する意志を固めたため、日本側も断念するに至った。

民乱の興起　民乱はすでに軍事占領初期より起きていた。物資補給の最前線である木浦では、日露開戦前から朝鮮人役夫の間に不穏な動きがあったが、〇四年四月、ついに騒擾に発展し、鎮圧に派遣された歩兵一小隊が年末まで駐屯せざるを得ない事態となった。民乱は各地に続発し、振威《チニ》・龍仁《ヨンイン》・高陽《コヤン》・交河《キョハ》・善山《ソンサン》・徳川《トッチョン》・新渓《シンゲ》・谷山《コッサン》・始興《シフン》などで起きている。

そうした民乱の中で、ひときわ注目されるのは、九月に京畿道の始興で起きた民乱である。この民乱は、郡守の朴隅《バクウ》陽《ヤン》が日本人と協力して役夫の出役と、それに関連する費用を郡民に課したことに端を発している。郡民は伝統的な民乱の作法に則って民乱を起こしたが、しかし郡守が日本人に支援を要請して日本人人夫七、八名を郡衙に引き入れたとき、郡民は怒り心頭に達して日本人二名を殺害、四名を負傷させ、そして郡守とその息子をも殺害した。

王命を受けた郡守は殺してはならないというのが、民乱の作法である。それは儒教的民本主義という政治文化を前提にして成り立っている、政府と民衆との間にある暗黙のルールであった。このルールが破られたということは由々しき事態を意味する。当時、「前になき変怪である」（『皇城新聞』一九〇四年九月一六日付「民擾斃倅」）と評された所以である。民衆は郡守を皇帝の代理というより日本の手先と認識したのである。民衆は皇帝崇拝の念を捨てたわけではないが、韓国政府はもはや日本の傀儡でしかないという認識をもつに至ったものと思われる。

朝鮮にとって日露戦争とは、単に日露間の戦争なのではなく、朝鮮民衆と日本との戦いにほかならなかった。ただ、東学異端派のような強力な求心力をもつ勢力が存在し得なくなった状況下において、民衆の反抗は大規模なものにはならなかった。また、甲午農民戦争以来の民衆の疲弊も尋常ではなく、民衆の戦いは散発的、限定的とならざるを得なかった。

第八章　植民地化と国権回復運動

ハーグに派遣された３人の密使　左から李儁，李相卨，李瑋鍾

1　日本の朝鮮保護国化

日本と列強

日露戦争は帝国主義戦争であり、代理戦争でもあった。日本の背後にはイギリスとアメリカがおり、ロシアの背後にはフランスとドイツがいた。両国は戦争を遂行するだけの戦費を独自にまかなうことができず、各々英米仏などからの外債に依存した。両軍とも苦戦を強いられ、戦争の継続も徐々に難しくなっていく。そうした中、一九〇五年五月二七〜二八日の日本海海戦の圧勝によって、日本は辛くも勝利を得た。

ここに日本は勝利を確定し、日露戦争の目的である朝鮮の保護国化を列強に求めていく。日本政府はすでに四月八日、韓国保護権確立計画を閣議決定していた。まず、アメリカ大統領ローズベルトに日露講和の斡旋を求める一方で、七月二九日に桂＝タフト協定を結んだ。日本はアメリカのフィリピン統治を認めるのと引き替えに、朝鮮における優越的支配権の樹立を認められた。また、八月一二日には第二回日英同盟を締結し、日本は同盟の範囲をインドにまで広げることの見返りに、朝鮮を保護国とすることを認められた。そして九月五日、ついにポーツマス条約を締結し、日本はロシアに朝鮮における卓絶した利益を承認させ、さらに保護国とすることを認めさせた。

朝鮮は日露戦争の開始当初において日本に軍事占領され、実質的に植民地となっていたが、今や名目上の独立の危機も目前に迫った。日本政府は一〇月二七日、韓国保護権確立のための具体的な実行計画を閣議決定し、特派大使として日本政界最大の実力者にして元老の伊藤博文を送りこんだ。

保護条約締結の光景

伊藤は「韓国皇室御慰問」の名目で一九〇五年一一月九日、漢城に入った。翌一〇日、伊藤は早速天皇の親書を高宗に渡し、朝鮮の保護国化を提議した。しかし、翻訳の問題もあり、本格的会議は一五日に持ち越された。

この日、会談は三時間半にも及んだが、当時病身でありながらも、高宗はこれまでの日本の朝鮮政策を非難するとともに、外交権を失う保護条約の締結に反対した。伊藤は無理強いしたが、高宗は「政府臣僚」や「一般人民」にも諮る必要があるとして拒絶した。伊藤は、「君主専制国」の韓国では皇帝の意志だけで決められるはずだし、いたずらに決定を延期する場合は韓国にとって不利益になると脅迫した。実際日本には、保護条約の締結が無理となった場合には、最終的に韓国政府への通告と外国への宣言のみによって朝鮮の保護国化を成しとげるという方法もあった。それは戦争行為に直結する。しかし大韓帝国では、「万世不変の専制政治」を謳いながらも、国際条約の締結については、議政府会議を経た議案を中枢院が審議して可決しなければならないという国内法があった。議政府官制と中枢院官制である。伊藤はひとまずこれを了承し、翌一六日に大臣たちと会談することになった。

そして一六日、伊藤は各大臣に条約締結を迫ったが、八人の大臣はみなこれを拒否した。山場は翌一七日である。大臣たちは互いに拒絶の意志を確認し合ったが、日本の脅迫は軍事力を後ろ盾とするものであった。当時韓国駐箚軍は二万三四〇〇名ほどであり、そのうち漢城には憲兵隊と警察を含め四〇〇〇名強の軍事力が配備されていた。王宮内外は駐箚軍がいく重にも取り囲み、伊藤は駐韓公使の林権助と駐箚軍司令官長谷川好道率いる五〇名ほどの憲兵を従えて入宮した。大臣たちは当初反対を貫いたが、長谷川が大臣たちを戦慄させるような指示を憲兵隊長小山三己に命じたことで、やや軟化した。それでも、参政大臣の韓圭卨と度支部大臣の閔泳綺《ミンヨンギ》は最後まで絶対拒否の姿勢を示し、外務大臣の朴斉純も「断然不同意」を明言した。しかし伊藤は、朴斉純が「命令トナラハ詮方ナキ次第」と言ったのを留保付きで賛成の意見だと見なすと、法部大臣の李夏栄《イハヨン》はただ「遺憾ノ次第」と弱音を吐き、やはり賛成と見なされた。そして、学部大臣の李完用が多少の条文の字句訂正を条件に賛成すると、軍部大臣李根沢《イグンテク》、内部大臣李址鎔《イジヨン》、農商工部大臣権重顕《クォンジュンヒョン》の三名も李完用の意見に従った。結局賛成は六名とされたが、世に一般に「五賊」とされる(「日韓新協約調印始末」『日本外交文書』三八－一)。

条約締結が決するや、韓圭卨は皇帝のもとに走ろうとしたが、憲兵に阻止された。激憤のあまり卒倒すると、林権助は「水でも頭に掛けて冷やして置けば宜い」(『わが七十年を語る』)と平然と言い放ったという。およそ、一国の宰相に対する言動ではない。韓圭卨は監禁されたのちに、伊藤から多数決で条約締結の調印をするように迫られたが、殉国の覚悟を口にして最後までこれを拒否した。そのため、第二次日韓協約(乙巳保護条約)は外部大臣朴斉純と特命全権公使林権助の署名による調印となった。

署名、捺印が終了したのは一八日深夜一時半頃である。外部大臣の邸璽(職印)は、日本人外交官が憲兵隊を引き連れて外部大臣官邸から奪ってきた。そのため調印が遅れた。まるで、やくざの所行である。この調印は、韓国の国内法である中枢院官制を無視したものである。また、高宗は調印の知らせを聞くや涙を流して吐血し、脅迫による調印だとして大臣らの無能をなじるとともに、「赤子」の決起を各地に呼びかけよと激高した。保護条約は、脅迫による調印強制であることは明確であって、本来なら国際法的にも認められようはずがない代物である。

亡国への慟哭

保護条約の締結が知れわたるや、漢城は騒然となった。漢城府民は条約締結の未明から外に出て、満都は白衣だらけとなった。王宮には数千人が押しかけ、悲憤慷慨の演説をする者や檄文を配布する者などであふれた。鍾路商人は例によって撤市を行い、条約破棄の意志を明らかにした。二二日、水原《スウォン》に向かった伊藤博文には投石が加えられ、軽傷を負った。ジャーナリズムでは『皇城新聞』社長の張志淵《チャンジヨン》が、二〇日「今日也放声大哭」

と題する有名な論説を発表した。これはすぐに差し押さえられ、同紙は停刊処分となったが、イギリス人ベッセルが経営する『大韓毎日申報』がこれに続き、二七日、号外を出して条約締結の顚末を暴露した（「韓日新条約請締顚末」）。

一一月末までに反対上疏が相次ぎ、四〇件以上にのぼった。重臣の閔泳煥と趙秉世《チョビョンセ》は一一月三〇日と一二月一日に相次いで自決した。無名の儒生や無名の兵士にも殉死する者が現れた。地方から上京する者は引きも切らず、地方でも騒乱状態となった。警務顧問の丸山重俊は、「不穏ノ患」は「中流以下」の者にかえって多いと言っている。しかしそうした動きは、力づくで沈静化させられた。「大事ニ至ラスシテ終局セシハ我軍隊ノ威力ニ藉ルト雖モ亦憲兵及警察官カ圧迫手段」に出たからであった（『顧問警察小誌』）。

密使外交

こうした事態に対して、高宗も座視していたわけではない。ポーツマス会議が開始されるや、密使外交を再開した。まず、最も信頼していた重臣の李容翊を一九〇五年八月一七日密かに出国させ、上海経由でフランス・ドイツ・ロシアに派遣した。日露戦争直後日本に拉致されていた李は、前年末に帰国を果たしていた。李は日本の不法を訴えたが、不調に終わった。その後、李はウラジオストックに行き、高宗が仕掛ける別の密使外交を助けた。

高宗は一〇月下旬、フランス語教師のマルテルにも密書を授けてロシアとフランスに送った。また同時期、元駐英朝鮮公使館書記の李起鉉《イギヒョン》もイギリスとフランスに向けて送り出している。

前者は、ロシアには間接的に届けられたようだが、後者は出国前に仁川で逮捕された。そして、アメリカ人教師のハルバートにも密書を授け、ワシントンに向かわせた。ハルバートは保護条約締結の時刻とほとんど同時にワシントンに到着し、国務省に高宗の密書を見せたが、国務長官のルートは高宗への協力を拒否した。その後高宗は、駐仏韓国公使の閔泳瓚《ミンヨンチャン》をワシントンに行かせ、ルートと面会させたが、もちろんルートは彼からの要請も拒否した。さらに、高宗は一一月二六日、条約締結が脅迫によるものだという電文をハルバートに送り、ハルバートはこれを国務省に示したが、アメリカはこれも黙殺した。

高宗のアメリカへの働きかけはこれだけではない。一一月末に前駐韓アメリカ公使のアレンにも密書を出し、アメリカ政府への仲裁を依頼している。その密書には、保護条約の不当性とともに、アメリカ・イギリス・日本の共同保護を要請している。アレンは仲裁に動いたが、不可能であることを悟り、翌年春には断念した。高宗はまた、〇六年一月二九日にも密書を作成し、これをロンドンのトリビューン紙の記者ストーリに託した。高宗とは面識のない一介の特派員である。高宗の涙ぐましいまでの執念が伝わってくる。これも失敗したあと、高宗はさらに六月二二日、アメリカ・イギリス・フランス・ドイツ・ロシア・オーストリア＝ハンガリー・イタリア・ベルギー・清国の九カ国に保護条約無効を宣言し、あわせてオランダのハーグ万国裁判所に提訴する意志を示した密書を、再度ハルバートに託した。

以上、高宗はさまざまな策を試みたが、いずれも功を奏することがなかった。帝国主義の現実の前に、密使外交は無力であった。列強に「信義」など問うても、もはやいかんともしがたい時点に大韓帝国は立ち至っていた。

統監府の設置

保護条約の締結によって、韓国には統監府が設置され、統監が派遣された。漢城・平壌・釜山・仁川・木浦・群山などの要地や開港場には理事庁が置かれた。これは従来の領事館業務を行うとともに、条約義務履行の名目のもとに地方施政を監視する任を負った。

初代統監に就任したのは伊藤博文である。伊藤は〇五年一二月二一日に任命され、統監府は、韓国外部を庁舎として〇六年二月一日に開庁した。統監は天皇に直隷し、韓国外交を監理指揮する権限をもった。また、皇帝に内謁して政務の疎通を図り、政府会議にも参席することができた。そして、政府の重要官職には補任の推薦を行い、韓国施政について勧告を行うことができた。さらに、統監は韓国駐箚軍を使用する権限をもった。文官でありながら軍事権をもつというのは、明治憲法に定められた天皇の統帥権を侵犯するものである。軍部から反対もあったが、天皇の勅語によって特例的に認可された。

こうして韓国は、外交権を完全に失い、内政権さえも半死状態となった。伊藤博文の指示によって、韓圭卨に代わり朴斉純が新たに内閣を組織した。各国の公使館は撤収し、韓国の在外公館も撤収した。治安面においても、日本の警察権が韓国警察の上に君臨した。〇五年二月、丸山重俊以下五名の警官が韓国政府警務庁に傭聘されて以降、日本人警察官は徐々に増加していったが、統監府設置以降は急速に拡充されている。顧問警察と理事庁警察(領事館警察の後身)は統監の下に一元的に監督され、韓国警察の中核的役割を担うようになった。〇七年七月段階で一二〇〇名ほどの日本人警官がいた。

韓国統監府

統監府の土地政策

外国人は朝英条約(一八八三年一一月二六日)によって、原則的に居留地とその周囲四キロメートル以内にしか土地所有を認められていなかったため、当初日本人は朝鮮人名義で土地を購入していた。しかしこの原則は無視され、外国人なかんずく日本人の土地購入は無制限に行われるようになった。そして日本人の土地買い占めは、日清戦争以降増大していき、日露戦争時にピークに達する。日露戦争で日本軍が大量に収用した土地は、日本人建築業者や商人に安く払い下げられ、日本人は莫大な土地を入手した。

このような事情を背景に統監府は、一九〇六年七月一三日、不動産法調査会を設置し、土地調査を開始した。そして、同年一〇月二六日土地家屋証明規則、一一月一六日土地家屋典当(抵当)執行規則を公布し、外国人の土地所有を認めるとともに、土地家屋の売買、登記、抵当、贈与、交換などの法規制を明確にした。また、外国人には認められていなかった未墾地の開墾も、〇七年七月四日、国有未墾地利用法を公布することによって法認した。

こうして、日本人地主が育成される基礎ができあがった。日露戦争から韓国併合頃までは、まず大資本が殺到した。東山農場、大倉農場、旭農場、熊本農場、細川農場などが代表的なものである。また、零細な資本も徐々に殺到していった。日本人は、「日の丸」の威光を背にしてさまざまな方法で土地を入手した。高金利で零細な農民に金を貸し付け、抵当流れの土地を手に入れるという方法が一般的であったが、貨幣の偽造や詐欺、略奪などによっても入手した。土地価格は日本の一〇分の一から三〇分の一であり、わずかな資金しか持っていないような一旗組であっても、たちまち大地主となることができた。日本人地主の数は一九〇九年六月当時で六九二名、その所有面積は五万二四二六町歩、一人当たり所有面積は七五・八町歩であったが、翌年には、それぞれ二二五四名、六万九三一一町歩、三八・六町歩と増えている。地主数は三倍以上に膨れあがっているが、一人当たり所有面積は半減している。一旗組的な移民農業者が殺到した結果である。

東洋拓殖株式会社

大地主の中でも、国策の東洋拓殖株式会社(東拓)は抜きんでた存在であった。「富源開拓」「民力涵養」などの美名の下に、大資本を投下して土地を入手し、国家的地主経営と日本人農業移民の受け入れを図った。東拓は国策会社であるため、一般の会社法には依拠せず、〇八年八月二七日、東洋拓殖株式会社法が公布された後、一二月二八日に設立された。日韓合作会社ということになっていたが、総裁は日本人で、役員も三分の二が日本人で占められた。資本金は一千万円、二〇万株とし、六万株分は韓国政府からの土地の現物出資とした。

韓国政府が現物出資した土地は、もっぱら帝室財産から国有財産に移転したものが当てられた。統監府は、〇七年七月四日、臨時帝室有及国有財産調査官制を公布し、膨大に膨れあがっていた帝室財産を整理する事業に着手した。その結果、帝室財産に組み入れられていた駅土や屯土、宮庄土(帝室の土地)などは国有地とされた。それらの土地の耕作農民は、租を国家に代わって帝室や特定官衙に納めていたにすぎず、自らの耕作地を私有地と考えていたので、これは紛争の種となった。

東拓が韓国政府から現物出資された土地は、一万七七一四町歩であったが、その後東拓が買収した土地は、一九一三年までで実に四万七一四八町歩にも上った。こうして東拓は朝鮮最大の地主となり、解放の日まで朝鮮農民の上に君臨していく。

なお、統監府の土地収奪は山林にも及んでおり、〇八年一月二一日、森林法を公布して三年以内に地籍届のない山林は、国有林とするとした。地籍届が出された林野は全林野の七分の一にも満たない二二〇万町歩に止まり、しかもその多くは朝鮮人富裕者や日本人資本家の手に収められた。地籍届の状況を知るために、一〇年三月から八月にかけて林籍調査事業が行われ、一応林籍の再確定が行われたが、その結果は、八三〇万町歩が国有林、七五四万町歩が民有林とされた。寒冷な朝鮮では薪を燃料としたオンドルが欠かせないが、「無主公山」と呼ばれた共有林を失った朝鮮人の生活はやがて深刻なものになっていく。

統監府の利権収奪と借款供与

統監府は、土地収奪のほかに鉱業権や漁業権も奪った。一九〇六年六月二九日鉱業法、七月二四日砂鉱採取法を公布し、従来の恩恵的な利権とは別に、日本人資本が鉱山権を簡単に取得できるようにした。その結果一九一〇年段階で、朝鮮人の鉱業権許可数は、二四九なのに対して、日本人は倍近くの四四九にも及んでいる。

また統監府は、〇八年一〇月三一日、日韓漁業協定を締結し、日本人漁民の朝鮮海水組合への補助金を制度化してその優遇と育成を図った。そして、一一月一一日には漁業法を公布して漁業を許可制とし、零細な朝鮮漁民の抑制を図った。その結果一九〇九年段階で、漁船数で三・三倍の朝鮮人漁業は漁獲高で約三六九万円で、漁獲高約三〇七万円の日本漁業とほぼ同じという奇形的な生産構造となってしまった。

一方統監府は、朝鮮の日本への従属性を強化するために、その財政をますます借款漬けにしようとした。道路港湾施設拡大、宮殿整理、中央銀行設置、地方倉庫設置、日本人官吏雇傭などさまざまな名目の下に、日本政府と、その保証を受けた第一銀行、日本興業銀行などからの借款を受けさせた。一九〇五～一〇年までにおよそ四五〇〇万円の借款供与を受けたが、これは韓国の国家予算の三年分を優に超えるものであった。

2　国権回復運動と第三次日韓協約

義兵運動

保護条約が締結されると、やがて義兵闘争が本格的に行われるようになった。その契機を作ったのは、一九〇六年五月一一日の元礼曹参判(次官級)閔宗植《ミンジョンシク》の蜂起である。閔宗植は二月頃より活動を開始し、五月に忠清南道の藍浦《ナムポ》を襲撃したのち、およそ一一〇〇名の勢力で洪州《ホンジュ》に進軍して憲兵と日本人居留民を駆逐した。間もなく、憲兵隊や警察の攻撃を受けたが頑強に戦い抜き、歩兵二個中隊と騎兵一個小隊の出動に及んで、死傷者八〇名、捕虜一五〇名を出してようやく敗退した。その後、閔宗植は一一月に逮捕された。

次いで蜂起したのは崔益鉉である。彼は〇五年一一月二九日、「五賊」糾弾と条約破棄の上

崔益鉉　1906年6月12日，日本軍に逮捕され，対馬に連行されるところ

疏を行ったのち、五月二三日に決起し、「棄信背義一六罪」を糾弾する書を日本政府宛に送り、六月四日、全羅北道泰仁に進出した。保護国となって政府が全くの傀儡政権となった以上、上疏活動は今や何ら意味をなさなくなった。崔益鉉部隊は、各地の郡衙を襲って軍資金と武器を獲得したのち、一〇〇〇名ほどに膨れあがり、一一日、淳昌で鎮衛隊と衝突した。戦闘は数時間続いた。崔益鉉は日本軍と戦おうとしたにもかかわらず、眼前に現れた敵は韓国軍であった。同族相殺の戦いをやめるように訴えたが、それが聞き入れられないことが分かると、崔益鉉は義兵の解散を決意した。そして、最後まで自身から離れまいとする部下一三名とともに投降する。その後崔益鉉は、弟子の林炳瓚《イビヨンチャン》とともに、八月、対馬に抑留された。崔益鉉はやがて敵の粟《ぞく》は受けないとして絶食して果てた。〇六年一二月三〇日のことである。

伊藤博文は、何よりも義兵が民衆と結びつくのを恐れた。しかし、崔益鉉の柩が草梁に到着すると、沿道は老若男女で埋め尽くされ、その数は一万にも及んだといわれる。商店は撤市を

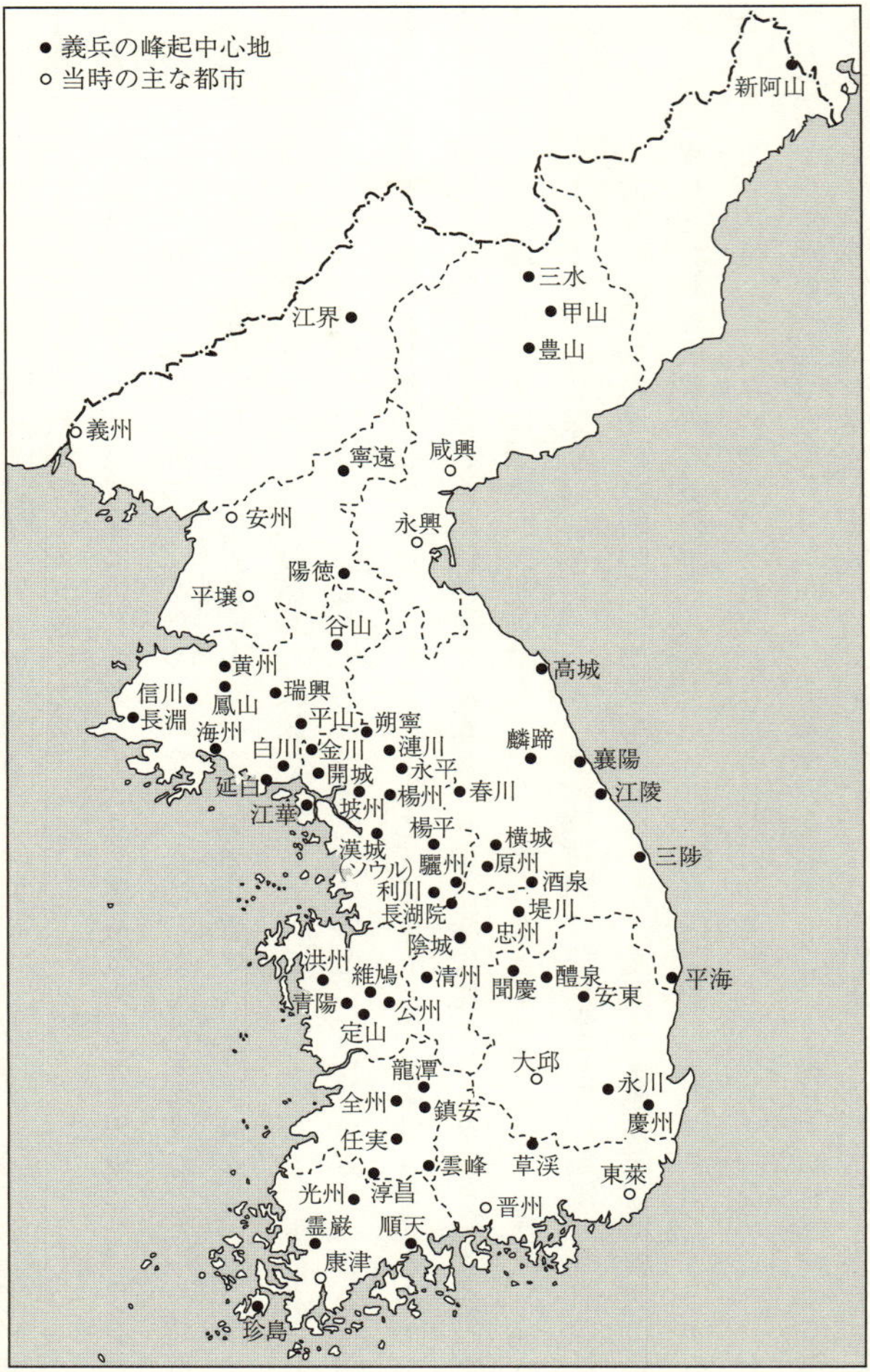

韓国教員大学歴史教育科『韓国歴史地図』(平凡社, 2006)をもとに作成.

行って哀悼の意を示し、学校の生徒までが外に出て、地を叩いて痛哭した。まさに儒教的民本主義に基づく徳望家的秩序観がなせる光景である。

また、伊藤は閔宗植を一時は流配に処したが、一二月には特赦を与えて釈放した。懐柔策である。しかし、義兵は各地で起こり、もはやそれをくい止めることは至難となった。全羅南道長城では奇宇万《キウマン》、全羅北道任実《イムシル》では姜在天《カンジェチョン》が立った。慶尚北道では鄭鏞基《チョンヨンギ》が立ち、彼の戦死後にはその父の鄭煥直《チョンファンジク》が立った。義兵は広範な民衆に支持され、拡大していった。慶尚北道と江原道が接する日月山地域を中心に活動した申乭石《シントルソク》は平民義兵将として有名である。この時期の義兵には多くの平民義兵将が誕生したことが特徴である。申乭石は勇猛果敢さで抜きんでており、その部隊は三〇〇〇名ほどの規模にまで成長し、日本軍隊に持続的なゲリラ戦を挑んだ。

愛国啓蒙運動

義兵運動はまさに国権回復運動であったが、漢城など都市部では、近代的知識人によって愛国啓蒙運動が巻き起こった。『皇城新聞』社長張志淵の論説「今日也放声大哭」は、この運動の開始を告げるものであった。愛国啓蒙運動は、民族的な諸団体や言論界などが教育振興や殖産興業をスローガンに民権高揚に基づく愛国思想を流布することによって、国権回復のための実力を養成しようとした自強運動である。

日露戦争さなかの一九〇五年五月二四日、李儁《イジュン》や尹孝定《ユンヒョジョン》を中心に立憲君主制を標榜する憲政研究会が組織された。この団体は間もなくして解散したが、翌年四月一四日に憲政研究会を母体に大韓自強会が設立された。会長は尹致昊で、評議委員には張志淵、尹孝定などが就いた。ここに愛国啓蒙運動が本格化する。大韓自強会は、教育振興や殖産興業のためには、「内に祖国の精神を養い、外に文明の学術を吸うことが、現時局の急務である」(「大韓自強会趣旨文」)として、啓蒙活動に主力を注いだ。

当時こうした団体はさまざまに誕生したが、西北《ソブク》学会(平安道)・畿湖《キホ》学会(京畿道・忠清道)・嶠南《キョナム》学会(慶尚道)・関東《クァンドン》学会(江原道)・湖南《ホナム》学会(全羅道)などが代表的なものである。学会とは称しているが、今日の学会とは意味が異なり啓蒙団体である。地方別に組織されることが多かったことが特徴である。これは地方が民族主義に統合されていく一方で、地方主義もまだ残滓としてあることを示唆している。こうした団体は日本留学生の間にも作られ、太極学会・大韓留学生学会などがあった。各団体は会誌を持ち、そこで政治・経済・法律・教育・科学・文学・世界情勢など、さまざまな議論を展開した。

愛国啓蒙運動には、新聞各紙も深く関与した。『皇城新聞』『帝国新聞』『大韓毎日申報』などが代表的なものである。学会は統監府から政治活動を原則的には禁止されていたため、反日的な言論は控えられたが、これらの新聞は慎重ながらも反日的な言論活動を行った。しかし、日露戦争中に制定された軍律は、一九〇六年一〇月まで実施され、新聞の言論活動を統制した。

そうした中で、〇四年七月一八日創刊の『大韓毎日申報』は、イギリス人のベッセルが社長のため、治外法権を利用して反日新聞の雄となった。総務・編集は梁起鐸《ヤンギタク》が務め、主筆は〇五年八月から〇七年末までが朴殷植《パクウンシク》、それ以降は『皇城新聞』から転入社した申采浩《シンチェホ》が務めた。発行部数は、『皇城新聞』『帝国新聞』のほか、親日新聞の『国民新報』や『大韓新聞』を合わせても八〇〇〇部を少し超えるくらいでしかない中で、『大韓毎日申報』は〇八年五月段階で、国漢文版とハングル版を合わせて一万三〇〇〇部ほどの発行を誇った。

愛国啓蒙運動には、東学も深く関わった。第三代教祖の孫秉熙は、〇六年一月二三日に帰国し、東学を天道教と改めた。帰国当初は一進会と歩調を同じくしていたが、売国団体だとする一進会批判があまりに高まっているのを見て、九月、孫秉熙は李容九を破門して一進会を切り捨てた。李容九はただちに侍天教を作り、ここに東学は分裂した。義兵は一進会を盛んに攻撃したが、天道教は一進会と混同されて多くの死傷者を出していた。そして天道教は、教理の近代化と布教活動を通じて独自に啓蒙活動を続けた。また、日本との合邦こそが朝鮮が生きる道だと信じる一進会も、主観的には愛国啓蒙運動の一翼を担う存在であった。『国民新報』は一進会の機関紙である。

漢城の騒擾

愛国啓蒙運動を象徴する国権回復運動は、国債報償運動である。これは一九〇七年一月三一日、大邱《テグ》の出版社である広文社の代表金光済《キムグァンジェ》と徐相敦《ソサンドン》が、日本からの借款一三〇〇万円を国民の義援金で返済しようと呼びかけたことに端を発した運動である。朝鮮人二〇〇〇万が一人一ヵ月二〇銭の煙草代を三ヵ月寄付すれば、借款を返済できるという趣旨であった。金光済らが呼びかけた「国債報償趣旨書」は、『皇城新聞』『帝国新聞』『大韓毎日申報』各紙に掲載され、国民的運動となった。そして、国債報償期成会が組織され、煙草代だけでなく、指輪や貴金属、副食費などが全国民的に供出され、それを中央で取りまとめる国債報償志願金総合所が大韓毎日申報社に設けられた。当局は所長には尹雄烈、総務には梁起鐸が就いた。当局は運動の中止を呼びかけたが、運動は引き続いた。

国債報償運動のリーダーたち　左から徐相敦，金光済，梁起鐸

漢城はまさに、国民的熱誠渦巻く都市となった。そしてまた、暗殺の風聞漂う危険な都市でもあった。いわゆる「五賊」を誅戮しようという動きである。中でも羅寅永《ナイニョン》・呉基鎬《オギホ》らが組織した自新会は、同志三〇名ほどからなる大規模なもので、組織的な暗殺計画を練った。自新会は一九〇七年三月二五日を期して一挙に五大臣を暗殺しようとしたが、未遂に終わり、事件が明るみに出た。事件の背後には、元宮内大臣李容泰らの宮中勢力が関与し、活動資金を援

助していた。

こうした騒然とした世相の中、一進会は朴斉純内閣を倒して自らが政権に参与しようとした。伊藤博文の了承の下、五月二二〜二六日に李完用を議政府参政(六月一四日の官制改革で総理大臣と改称)として、一進会の宋秉畯を農商工部大臣にした新内閣が誕生した。日本の傀儡政権的性格はより強まった。

ハーグ密使事件

義兵運動や国債報償運動が高まりを見せる一方で、高宗は密使外交をなお続けていた。伊藤は、高宗の密使外交や反日派との面会を阻止すべく、一九〇六年七月六日、宮禁令を公布させ、警務顧問部の許可証がない者は宮中に出入できないとする規則を設けた。しかし、高宗はそうした中でも密かに外部の者を招き寄せていた。

〇七年六月、オランダのハーグで万国平和会議が開かれた。提唱者はロシア皇帝のニコライ二世である。かねてロシアへの期待が強かった高宗は、元議政府参賛李相卨《イサンソル》・元平理院検事李儁・元駐露公使館参事官李瑋鍾《イウィジョン》(親露派李範晋の息子)の三名を密使として送った。日本の妨害で正式な招請状を受けられなかったためである。李儁は憲政研究会で副会長を務めたあと、平理院検事に就いたり、国債報償運動に携わったりしていた。一行は、六月二四日にハーグに到着し、会議への出席を求めたが、果たせなかった。しかし同じ頃に開かれた、ジャーナリストが集う国際協会で発言する機会を得、七月八日、一行を代表して英語に堪能な李瑋鍾が熱弁を振るい、保護条約の無効と日本の非道を訴えた。この演説は「韓国のために呼訴する」と題され、李瑋鍾の写真とともに各国新聞に掲載された。しかし、密使外交は列国に受け入れられず、失敗に終わった。李儁は一四日、無念のうちに病を得て客死した。この死は「憤死」と伝えられ、長きにわたって自決したものと伝えられた。同じ頃、ハルバートも渡欧して三密使と連携し、常設仲裁裁判所への訴えを工作していたが、これも水泡に帰した。

ハーグ密使の活動は六月二九日に伊藤の耳に達し、伊藤は激怒した。七月三日には、伊藤は高宗に謁見し、その行為を「陰険」となじり、宣戦行為であるとまで脅した。次いで、総理大臣の李完用にも同様の脅しをかけ、高宗の譲位を迫った。一進会の宋秉畯は、譲位しないとすれば、自決か天皇への直接謝罪か戦争かの道しかないと高宗に迫った。議論が何日も続いたが、高宗はついに孤立無援となり、譲位に同意した。七月二〇日譲位式が行われ、皇太子の坧《チョク》が皇帝位についた。純宗《スンジョン》である。

高宗譲位の噂を聞いた漢城府民は、一八日夜より不穏な動きを見せ、翌日には国民決死会が組織された。各所で内閣大臣を弾劾する演説会が開かれ、侍衛隊兵士四〇名が脱走し、鍾路で日本警察と銃撃戦となった。死傷者は三〇名以上に上った。また、一進会機関紙の国民新報社が襲撃された。伊藤は、こうした運動を鎮圧するために混成一個旅団の出兵を要請するまでに至っている。譲位の日の二〇日には、漢城中がみな撤市状態となり、数万名の府民が集会を催し、李完用の家を焼き討ちにした。また、侍衛隊の一部が鍾路巡査派出所を襲った。平壌でも商人が撤市を行い、演説会が催され、警察官が投石された。二一日には、日本憲兵が機関銃まで持ち出して集会を厳禁したが、「五賊」の李址鎔と李根沢の家が焼き討ちにされている。

第三次日韓協約と軍隊解散

こうした騒乱があっても、伊藤は次なる一手を即座に実行に移した。七月二四日、第三次日韓協約(丁未七条約)を締結したのである。この協約によって、日本は統監による内政指導権を完全に掌握し、法令制定や行政施行、官吏任免などは統監の同意を必要とするようになった。また、日本人を韓国官吏とすることが決められ、日本人顧問は正式な韓国官吏となった。そして、秘密の覚書が取り交わされ、内閣各部に日本人次官を配置し、新設の大審院長・検事総長には日本人を採用し、控訴院や地方裁判所などでも日本人の判事・検事が大量に採用されることになった。さらに、皇宮守備の一大隊を除いて韓国軍を解散することが決められた。

もはや大韓帝国は、完全に主権を喪失し、国家の体をなさなくなった。そして日本は周到にも、七月三〇日、諸列強の中でも対日復讐を図る恐れのあるロシアと第一回日露協約を結び、ハルビンと長春・吉林の中間を「分界線」として各々の権益を確認しあい、ロシアに日本の朝鮮保護国化の進展に干渉しないことを約束させた。

軍隊解散は、八月一日〜九月三日に漸次行われた。解散当時韓国軍は九一七一名の兵力であったが、この内、儀仗兵を除く八四二六名が解散させられた。しかし、漢城では解散初日に反乱が起きた。解散式が密かに行われようとするとき、侍衛隊第一連隊第一大隊隊長の朴昇煥《パクスンファン》がピストル自殺をした。解散の事実を知った部下たちは一斉に武器庫に取って返し、日本軍と銃撃戦となった。銃撃戦は二時間に及び、一部は白兵戦となった。韓国兵士は六八名の戦死者と一〇〇余名の負傷者を出し、日本軍は四名の戦死者と二九名の負傷者を出した。逃れた兵士は民衆にかくまわれ、その後漢城府外に脱出して義兵に合流した。

地方では九月三日まで解散が次々と行われたが、原州・江華島・忠州《チュンジュ》・堤川などでは反乱となった。とりわけ、原州と江華島は規模が大きかった。原州では八月六日、大隊長代理金徳済《キムドッチェ》と特務正校(下士官)閔肯鎬《ミングンホ》を指導者とする反乱軍が原州の民衆とともに決起し、守備隊と激戦を繰り広げた。守備隊を撃退した反乱軍は、金徳済が率いる六〇〇名の部隊と閔肯鎬が率いる一〇〇〇名の部隊に分かれ、義兵活動を展開していく。江華島では八月九日、副校(下士官)池《チ》弘允《ホンユン》、延基羽《ヨンギウ》などを指導者として六〇〇名ほどが反乱を起こし、一進会員の郡守を殺害して日本軍と激戦を繰り広げた。反乱軍は、その後やはり義兵活動に参陣した。

軍隊解散にともなう小戦闘は、各地で数多く起きている。反乱軍の死傷者は一八五〇名、日本軍の死傷者は六八名に上っている。その多くは義兵に合流するが、恩賜金をもらっておとなしく解散した兵士も、少なからずその後義兵に合流した。

第三次日韓協約によって次官ないし次官級となった日本人は、次のようである。内部―木内重四郎、法部―倉富勇三郎、学部―俵孫一、度支部―荒井賢太郎、宮内府―小松三保松、農商工部―岡喜七郎、警察局長―松井茂、警視総監―丸山重俊、総税務司署―永濱盛三。「統監ノ指導ヲ受クル」という約定によって、各部局の実権はいずれも彼らが握った。また、顧問警察と理事庁警察は廃され、日本人警察官はみな韓国警察官となった。一九〇九年六月段階で日本人官吏は五三七〇名(韓国人官吏は六八三七名)、一九〇九年一二月段階で日本人の韓国警察官は二一三六名(韓国人警察官は三二五二名)となっている。

次官政治と「自治育成」政策

伊藤博文は、「日本の政策は韓国を富強ならしめ、独立自衛の途を講ぜしめ、以て日韓相提携するを得策とす」(『東京朝日新聞』一九〇七年八月一日付「伊藤統監新聞記者団に語る」)との考えから、併合に反対して「自治育成」政策を標榜した。しかし、それは名ばかりであって、実際には朝鮮を日本に従属化させる政策でしかなかった。

「自治育成」政策の内容は、およそ①司法制度整備、②銀行金融機関の設置、③殖産興業、④教育振興の四つからなっている。①は治外法権を撤廃して日本並みにすることを標榜したものだが、これは、実は朝鮮を日本の排他的領域とすることを意味していた。②は目賀田種太郎の貨幣整理に端を発し、第一銀行から韓国銀行へと引き継がれた中央銀行の設立、地方金融組合の設立などによって代表されるが、これは日本の経済圏に朝鮮半島を組み込むことを意味した。③は誰を中心とする殖産興業なのかが問われるもので、東洋拓殖株式会社の設立に典型的に見られるように、それを遂行するのも恩恵を受けるのも、その主体は日本人であった。問題は④であるが、これも朝鮮の近代化を標榜したものでありながら、朝鮮の民族教育を妨害しようとするものであった。愛国啓蒙運動家たちは競って多くの学校を設立したが、統監府はこれを好ましく思わなかった。一九〇八年八月二六日の私立学校令は、私立学校を学部の管轄下に置いて、学部編纂ないしは学部大臣検定以外の教科書を使用させないとしたばかりか、学部が有害と認めた学校は、学部大臣が閉鎖できるとした。その結果、〇八年現在で約五〇〇〇校あった私立学校は、わずか二年後の一〇年八月には一九〇〇校ほどに激減した。また、官公立学校では日本人が運営の中心に座り、日本語教育を強制した。

併合せずとも、朝鮮は完全に日本の排他的な支配領域であるばかりか、ほぼ完璧な植民地であった。伊藤にとって、韓国併合などというのは大日本帝国の名ばかりを取ろうとするものでしかなかった。「自治」の美名の下に朝鮮人を懐柔し、「富強」がなされたときには独立を許すと言明しておいた方が、経費がかさむ軍事力に過度に頼ることがない、より効率的な支配ができると考えたにすぎない。伊藤は、「自治」を餌に朝鮮の諸階層を日本に心服させることができると考えていた。しかし、やがてこうした考えが甘いものであることを思い知らされることになる。伊藤は、朝鮮における民族主義の成長を過小評価していた。

3　国権回復運動の拡大とその思想

義兵戦争　解散兵士たちの義兵への合流は、義兵運動をより活性化させた。義兵は全国化し、各地で日本軍を悩ませた。義兵は、少ないものは数名単位でも活動したが、通常は数十名から一〇〇名を超える規模のものが一般的であった。時には、三〇〇〇名にも達するものがあったといわれる（今村鞆『歴史民俗朝鮮漫談』）。しかし、統一的な抗争ができなかった嫌いがあったのは事実で、ここに統一機運が生まれた。

原州で決起した李求載《イグジェ》・李殷賛《イウンチャン》らの推戴を受けて関東義兵大将となった李麟栄《イイニョン》は、各地の義兵に檄文を発し、統一的な抗争を呼びかけた。そして一九〇七年一二月、漢城に近い京畿道楊《ヤン》州《ジュ》に一万名ほどの義兵が集結した。一三道義兵総大将李麟栄を筆頭に、軍師長許蔿、関東（江原道）倡義大将閔肯鎬、湖西《ホソ》（忠清道）倡義大将李康年《イガンニョン》、嶠南（慶尚道）倡義大将朴正斌《パクチョンム》、鎮東《チンドン》（京畿道・黄海道）倡義大将権重煕《クォンジュンヒ》、関西《クァンソ》（平安道）倡義大将方仁寛《パンイングァン》、関北《クァンブク》（咸鏡道）倡義大将鄭鳳俊《チョンボンジュン》などが指揮官となった。この部隊は、国際法に通じていた元平理院判事許蔿のアイデアで、漢城の各国領事館に文書を送り、国際法上の交戦団体であることを認めるように訴えた。日本は義兵を「暴徒」として扱い、そのため義兵は逮捕されても国際法に準拠した捕虜として扱われなかった。そこで許蔿は、自らの戦いを正規の戦争として内外に位置づけようとしたのである。

義兵の総数は、韓国駐箚軍司令部の調査では、一九〇八年六月段階で、「首魁」二四一名、「暴徒」三万一二四五名となっている。まさに戦争に匹敵する規模であり、一三道義兵の結成によって義兵運動は義兵戦争になった。

義兵の思想

しかし、この連合軍は即座に解体されてしまう。許蔿の部隊は〇八年一月、漢城東大門まで一二キロメートルの地点まで迫り、他の部隊の到着を待ったが、各部隊の到着が遅れ、日本軍に敗退した。義兵が、諸列強によって国際法上の交戦団体として認められることもなかった。また、総大将の李麟栄は、父の訃報に接して総大将の任を降りた。そこには、儒教的名分に生きる儒者の姿があった。以後、各々の義兵将は、戦争主体として全国の各拠点で独自に義兵活動を続けていく。

今日的常識からして、李麟栄の行動には理解しがたいものがある。葬儀が終わってのち、部下は帰陣を求めに来たが、彼は「国に忠ならざれば親に孝ならず。親に孝ならざれば国に忠ならず。吾三年（服喪して）然るのちに更に義旅を起し、日本を掃蕩して大韓を回復せば、すなわちこれ孝純にして忠全に非ざらんや」（宋相燾《ソンサンス》『騎驢随筆』）と言ってそれを拒んだ。彼は「忠孝一致」を唱えるが、これは明らかに孝の優先にほかならない。本来儒教では孝のアナロジーにおいて忠が捉えられ、孝が優先している。そして、それこそが「道」にかなうことであった。「道」は文明であり、「国」＝国家の上位に位置づけられたが、朝鮮王朝・大韓帝国が尊いのは、「道」の護持主体そのものであるからであった。義兵将にとって、文明に殉ずることは国に殉ずることと同義であった。

そのことは、崔益鉉の場合も同じである。彼は、人間と国家の普遍＝文明的原理として各々「忠愛」と「信義」を挙げ、東アジア三国連帯という大義に背信した日本を鋭く批判したが、朝鮮の文明、さらには東アジアの文明を護持するために命を賭すことが儒者としての責務なのであった。許蔿も一九〇八年六月、縛に就いて処刑される際、自らの死を弔おうとする日本人僧に対し、「忠義の鬼は自ずから仙に上ることができる。たとえ地獄に堕ちるとも、どうして汝ら讎虜《しゅうりょ》の蛮僧の助けを借りられようか」と一喝した(『梅泉野録』)が、そこには「忠義」＝文明観を頑なにもつ儒者ならではの自負があった。

義兵と民衆

義兵将の出身階層は広範に及んでおり、断髪令の際の義兵将がほとんど儒生であったのとは、大分様相が違っている。儒生・両班の義兵将は二五％を占めたが、農民一九％・軍人一四％と続き、無職者・火賊なども一二％ほどいた。大韓帝国期、根っからの盗賊である活貧党は、主観的には社会正義の実現と王道政治への回帰を目指そうとしていたが、今や彼らが倒錯した正義感を実践できるのは義兵になることであった。素朴な農民も次々と銃を取った。義兵戦争は、日露戦争と統監府政治によって、土地を奪われ、家族を殺され、生活をずたずたにされた者たちの、命をかけた悲壮な戦いであった。

申乭石と洪範図《ホンボムド》は最も有名な平民義兵将である。「太白山の虎」「飛虎将軍」と名を馳せた申乭石は一九〇八年一一月に殺害されたが、日本軍は彼を火賊と認識していた。〇七年一一月頃より義兵活動を開始した洪範図は、雇農・猟師出身で、韓国併合以降も中国東北部やロシア領沿海州などで活躍した。彼は、〇七年九月六日に銃砲及火薬類団束法が制定されたことで、生活の資を守るべく立ち上がった。彼の義兵部隊は猟師・鉱山労働者・軍人・火田民(焼畑農民)・土幕民(スラム民)・無頼輩などからなっていた。

また、閔肯鎬は軍人出身の代表的な義兵将であるが、「忠義」の心情において儒生に何ら劣るものなく、涙を流して熱誠を吐露するその気高さゆえに大いに民心を得た。儒教的民本主義に基づく徳望家的秩序観は、旧支配勢力である儒生と民衆を結びつけ、義兵戦争を戦い抜くうえでの必要欠くべからざる論理となった。侵略軍との戦いは、伝統的な政治文化に依拠したものであり、またそうしてこそ力を蓄えることができた。帝国主義勢力に対する抵抗は、一般に土着的な論理によるのだが、朝鮮でもそれは例外ではなかった。

晩年の洪範図(1868〜1943)

実際、義兵将は民心を得ることにおいて、用心深い注意を払った。洪範図などは任俠的な論理で民衆を引きつけたが、威望ある儒生義兵将は、教化に配慮する一方で、規律も重んじた。李殷賛はその典型である。彼は、「正義」を標榜して民心をつかみつつ、糧食や軍資金を直接に民衆から取り立てず、村長層に通告した後に徴収し、購入品については必ず代金を支払い、時に軍票を発行しても、後日必ず通貨と交換したという。そのため、民衆は李殷賛部隊を歓待し、自ら進んでかくまうのみか密偵まで務め、協力を惜しまなかった。李殷賛の統率下には無頼輩もいたが、彼はそれを自らの徳望において服せしめ、決して排除しなかった。

愛国啓蒙運動と社会進化論

このような義兵戦争に対して、愛国啓蒙運動陣営はどのように対応したのであろうか。意外なことに、同じく国権回復運動の一翼を担っているにもかかわらず、冷淡な認識をもっている者が多かった。愛国啓蒙運動団体の中では最も尖鋭的な愛国団体であった大韓自強会からしてそうであった。大韓自強会は尖鋭的な政治活動のために一九〇七年八月解散させられたが、その後身は同年一一月一七日に創立された大韓協会である。大韓協会は一進会には遠く及ばないが、二万名強の勢力を持ち、一進会に次ぐ勢力を誇った。その総務の尹孝定は、義兵活動を「義名暴行」「絶対的非議」と言って憚らなかった。

このような思想的背景には、当時流行していた社会進化論の影響がある。ダーウィン主義を人間界にも適用した社会進化論は、「弱肉強食」「優勝劣敗」「適者生存」などの熾烈な競争をしつつ、人間は文明的に進歩していくという理論だが、多くの愛国啓蒙運動家たちは、この理論を「進歩」に重点を置いて理解した。その結果、帝国主義を批判しつつ、他方では帝国主義支配下の文明化に期待をかけた。帝国主義はずるがしこくはあるが、徐々に理性化して普遍的道義の方向が切り開かれていくであろうという幻想である。尹孝定は、日露戦争で日本が勝利したのは、立憲主義＝文明が専制主義＝ツァーリズムを屈服させたのだと認識していた。従って、伊藤博文の「自治育成」政策に対しては、疑心を抱きながらも信じようとする嫌いが、愛国啓蒙運動陣営に生じたのである。

まことに不思議なことに、保護条約締結に「今日也放声大哭」の名文を書き朝鮮人を感動で震わせた張志淵もまた、伊藤に期待するところがいささかあった。統監府政治が進行していき、軍事力ではとうてい国権回復がなされないという現状分析がなされると、何らかの妥協を模索するしかなくなっていく。大韓自強会の顧問は日本人の大垣丈夫だが、これは張志淵の推薦による。大垣は伊藤に近づき、その意を汲んで、統監府政治の「善意」を大韓自強会・大韓協会に信じこませようとした。大垣は日本で新聞人として活動した人物で、天皇＝国権主義者であったが、表面上東洋三国同盟論を唱え、あたかも韓国の地位向上を説くがごとくであった。しかしその実は、あくまでも日本の指導に従うべきだという保護国論である。張志淵は、大垣を顧問にすることによって、当局の干渉を緩和しようという目論見をもっていたようだが、一面大垣の詐術にだまされたといえなくもない。

ところが、大韓自強会の設立は、本来保護国化反対に起源をもっている。そのため、伊藤と大垣に対する疑心はくすぶり続けた。大韓自強会は高宗譲位反対運動にも、積極的に関わっている。であればこそ、解散させられた。愛国啓蒙運動家たちのジレンマは、まことに深刻であった。

新民会

それゆえ、独立を諦めない愛国啓蒙運動家たちは、裏面では秘密結社を組織し、独立の方策を練っていく。それが、一九〇七年四月頃に結成された新民会である。この結社は、安昌浩《アンチャンホ》を中心に作られた。安昌浩はアメリカに五年滞在後、同年二月二〇日に東京を経由して帰国した人物である。彼はサンフランシスコで朝鮮人を組織化すべく共立協会を作るなど、すでに民族運動の実績をもっていた。当時、彼は二九歳の若者であったが、演説の名手で、帰国するや各地を遊説して回り、人々を民族主義に目覚めさせていった。そして、間もなくして組織したのが新民会である。会長は尹致昊で、副会長には安昌浩が就いたが、両人ともにキリスト教徒であった。安が実質的な指導責任を負い、会員には、朴殷植・申采浩・張志淵・梁起鐸などの言論人をはじめ、李甲《イガプ》・李東輝《イドンフィ》などの軍人、李昇薫《イスンフン》のような実業家・教育家、金九《キムグ》・李東寧《イドンニョン》などの運動家など、さまざまな人士が網羅され、会員は八〇〇名ほどになった。

新民会は、①独立思想の鼓吹、②同志の拡大糾合、③青少年教育の振興、④国民富力の増進などを目的としたが、独立を明確に掲げた政治結社であったため、秘密結社性を帯びることになった。会員にはキリスト教徒が多く、表面的には合法団体の青年学友会を中心に活動し、各地に学校や経済団体、あるいは少年同志会、青年同志会などの組織を作った。また、平壌に大成学校、馬山洞磁器会社、太極書館などを設立し、実力養成の拠点的機関とした。新民会は義兵運動とは一線を画したが、いざという時には実力によって独立を争取するという意気込みである。

張志淵は新民会会員でありながら、大垣を迎えるような大韓自強会・大韓協会の活動をしていたわけであるが、彼はこの時期硬軟両様の独立方策を考えていた。しかし、新民会会員の中にも独立への執念には個人差があった。朴殷植や申采浩などは、最も尖鋭な独立論者であった。

新民会のリーダー・安昌浩(1878〜1938)

大韓ナショナリズム

愛国啓蒙運動期には、国家存亡の危機を反映して、外国の建国史や亡国史が盛んに読まれた。前者はアメリカ・イタリア・スイスなど、後者はヴェトナム・ポーランドなどである。中でもファン・ボイ・チャウの『越南亡国史』は多くの読者をもった。また、またナポレオンやガリバルディなどの外国の英雄も人気が高かった。朝鮮では、隋を破った乙支文徳《ウルジムンドク》や壬辰戦争の李舜臣《イスンシン》などが、愛国思想を鼓吹するのに絶好の英雄であった。そして朝鮮の歴史が見直され、朝鮮の建国を、中国から渡来したと伝えられる箕子よりは、朝鮮固有の降臨神話である檀君に求める傾向が強くなった。すなわち、檀君ナショナリズムである。それは大韓帝国への愛着とも結びついて、ここに大韓ナショナリズムが成立する。

大韓ナショナリズムを最も鼓吹した人物こそ、朴殷植と申采浩である。両者の思想の特徴は、当時、社会進化論を「進歩」を重視して理解する傾向が強い中にあって、逆に徹底的に「競争」を重視して理解した点である。その結果両者は、現実世界には過酷な競争があるだけで、普遍的道義などないと考えた。国際法などは何ら期待できるものではなく、列強が思うがままにどのようにでも都合よく解釈し、弱小国を痛めつける道具にすぎないという認識である。そのため、両人は国家主義の立場に立つべきことを執拗に説いた。国家は道義よりも重いというわけである。愛国啓蒙運動においては、同盟論・保護国論・併合論などが議論されていたが、申采浩は自らも大韓自強会会員でありながら、それらを「東洋主義」として激しく批判した。朴殷植も、大垣の議論を現実的でないとして退けた。

朝鮮の伝統的な教学である朱子学では、優れた人格者が優れた政治を行うことができると考える。道徳と政治は連続しているのである。政治の世界では、本来権謀術数など行使されるべきではないという認識である。朱子学的思惟に慣れ親しんできた朝鮮の知識人は、こうした思惟から容易に抜け出せなかったのだが、朴殷植と申采浩は道徳と政治を切り離すことによって、真に国家主義を定立させた。

申采浩の思想

わけても、申采浩の国家主義は徹底している。彼は儒者たる成均館博士の称号をもち、本来なら官途に就くはずの身であったが、『皇城新聞』『大韓毎日申報』に身を投じて尖鋭な国家主義を鼓吹した。彼は、社会進化論を峻厳に理解し、単に弱肉強食の現実世界を批判するのではなく、自らも「強権」の信奉者になるべきことを主張した。それは、国際社会に「道義」を求めないばかりでなく、自らもそれを放棄して、ひたすらに「強権」をもって「強権世界」に打って出ようとする、国家＝道義観に立つナショナリズムである。申采浩は朱子学と離別したことによって、普遍主義的世界観を批判し、特殊主義的世界観への転換を提唱したのである。福沢諭吉は「百巻の万国公法は数門の大砲に若《し》かず」（『通俗国権論』）と言って「権道主義」を肯定したが、申采浩は福沢とあえて同じ位相に自らを置こうとした。

申采浩（1880〜1936）

従って申采浩は、実力による独立を提唱するようになる。義兵に冷淡な愛国啓蒙運動陣営の中にあって、彼の義兵観は温かく、義兵を「義士」「忠臣」と認識した。また彼は、国権を尊ぶ近代国家を樹立するためには国民革命が必要だと考えており、その観点から甲午農民戦争指導者の全琫準を「革命家」として高く評価した。愛国啓蒙運動家にあっては、愚民観がなお強く、甲午農民戦争や全琫準に対して愚昧な行為だと見るのが一般的であった。朴殷植ですらそうであった。申采浩の立場は、明らかにそうした思想的営為とは一線を画している。

しかし、そうした民衆的地平をもっていたがゆえに、申采浩はのちにドラスティックにその思想を変えていく。韓国併合後も「強権」をもって「強権」に打ち勝つと考えることはできなくなったからである。被抑圧民族＝民衆の立場にこそ「道徳」＝正義を見出し、その観点からかえって国家＝道義観を批判し、一九二〇年代には無政府主義者として民族運動を展開していく。皮肉なことにその思想的営為は、政治は道徳的で民本主義的でなければならないとする朱子学的思惟＝普遍的世界観への回帰であった。民衆的立場性こそ異なりはするが、国家主義を放棄し、普遍主義へ回帰していくのは、朴殷植とて変わらない。

申采浩ほど伝統的朝鮮思想と格闘しながら、あるべき近代を問い続けた思想家はいない。その意味で彼こそは、福沢諭吉に対比されるべき近代朝鮮最大の思想家であった。

4　国権回復運動と日本

統監府の言論・治安政策

日露戦争時の軍律において、日本はすでに言論統制や治安維持を厳格に実行していたが、統監府では数々の法令を公布して国権回復運動を封じ込めようとした。まず出されたのが、保安規則(一九〇六年四月一七日公布)である。「平常粗暴ノ言論行為」をする者に対して住居と生業を確定することを求めるとする法令だが、愛国啓蒙運動家を取り締まるための法令であることは明らかである。その後、より徹底した保安法(一九〇七年七月二七日公布)を施行し、これによって内部大臣は安寧保持のために結社を解散し、警察官は集会や「多衆ノ運動」を制限、禁止することができるとした。大韓自強会の解散は、早速この法令を適用されたものであった。

言論統制としては、新聞紙法(一九〇七年七月二四日公布)が重要である。内部大臣は、「安寧秩序」を妨害する新聞を押収し、発行停止、発行禁止などにできるとした。反日記事の厳禁である。〇八年四月二〇日にはこれを改悪し、外国から入ってくる新聞や外国人発行の内国新聞にも、新聞紙法を拡大するとした。露骨すぎる言論統制である。当時、海外から『大東共報』(ウラジオストック)・『新韓民報』(サンフランシスコ)・『新韓国報』(ホノルル)などが入ってきており、ベッセルが社長を務める『大韓毎日申報』と合わせて統監府はこれらも取り締まろうとしたのである。

また、日本は御用新聞を作って世論操作を行った。統監府設置以前の一八九五年二月から、日本は『漢城新聞』の発行を支援して世論操作を行っていたが、日露戦争が開始されると、『大東日報』(〇四年三月創刊)と『大東新報』(〇四年四月創刊)を創刊させ、新たな御用新聞とした。そして統監府は、イギリス人ホッジが一九〇五年六月に創刊した『ソウルプレス』を買収し、英文の御用新聞とした。

さらに統監府は、出版法(一九〇九年二月二三日公布)に基づき、出版を許可制として検閲を厳しくし、多くの出版物を発行停止とした。言論弾圧はここにきわまった感がある。

『大韓毎日申報』と日本

しかし、こうした悪法をもってしても『大韓毎日申報』は容易に屈しなかった。社長のベッセルは終始、梁起鐸とともに反日の気骨を貫いた。義兵たちは、『大韓毎日申報』の記事から内外情勢を知り、戦いの糧としていた。

そこで統監府は、ベッセルを公私にわたって監視するとともに、二度にわたってイギリス領事館に告発した。イギリスは、治外法権に基づくイギリス法の適用と、日本との友好関係の狭間で悩んだが、結局は準拠すべき枢密院令を修正し、イギリス人発行の新聞は友好国の官憲と韓国臣民との間を離間させてはならないとして、ベッセルを罰した。すなわち、ベッセルは一九〇七年一〇月に六カ月の謹慎処分を受け、さらに〇八年六月には三週間の禁固刑と六カ月の謹慎処分を受けた。禁固刑とは韓国からの追放である。

ベッセルは、それでも戻ってきた。しかし、〇九年五月一日、不幸にも三六歳の若さで病死した。「私が死んでも、大韓毎日申報は永生させ、大韓国同胞を救出せよ」というのが遺言であった。帝国主義華やかりし時代に、被抑圧民族に身を寄せた稀有の外国人であった。

『大韓毎日申報』の編集室

統監府がベッセルに次いで敵視したのは梁起鐸である。統監府は〇八年七月一二日、国債報償運動総務の任にあった梁を国債報償金横領の嫌疑で突如逮捕した。実際は、『大韓毎日申報』に対する弾圧である。イギリス総領事は、この逮捕にさすがに不当性を感じて抗議し、外交問題にまで発展した結果、九月二九日、梁は無罪となった。しかし、『大韓毎日申報』は信用をなくし、発行部数を減らした。また国債報償運動は、最初から成功する可能性は低かったが、ついに失敗に帰してしまった。この運動は成否に関わりなく、運動そのものが民族主義を鼓吹するものであっただけに、その失敗によって民族陣営には挫折感が広がった。

実際、国債報償運動の担い手たるべき民衆の間には、無力感が広まりつつあった。そのことはキリスト教の布教に重大な変化が現れたことに示唆されている。一九〇三年の冬に端を発し、〇七年に絶頂に達した大復興運動(リバイバル)である。

キリスト教と民族運動

朝鮮におけるキリスト教の布教は、カソリックによる殉教の歴史を経て、甲申政変後、特には一八八六年六月に結ばれた朝仏修好通商条約以降本格化するが、医療と教育を通じて布教を図った。その契機は、アメリカ人医師アレンが、甲申政変で負傷した閔泳翊を治療し、高宗と閔妃の信頼を得たことが大きい。アレンはのちに公使となり、退任後高宗から密書を送られた人物である。彼の提言で八五年四月一四日、洋式病院の広恵院(済衆院)が設立され、近代的医学教育も始まった。その後、続々と宣教師が来朝し、ミッション・スクールも競って設立された。梨花学堂、培材学堂、耶蘇教学堂、貞信女学校などが著名である。孤児や貧困子女を呼び集め、とりわけ儒教的世界から排除された女子への教育に熱心であった。

朝鮮人がキリスト教に入信する動機は、生活苦からの入信のほか、官吏の苛斂誅求や政治的圧迫からの逃避が重要である。教会に逃げ込めば、治外法権を盾に、官憲からの抑圧をはねのけることができた。日本官憲も簡単には手出しができず、そのため民族主義の温床にもなった。儒教的な知識人の改宗も起き、また平安道などの北部地方では伝統的な地方差別への反発もあって、布教が急速に広まった。

こうした中、大復興運動が起きるのだが、これは、神による救いしか頼るべきものがない、というはかない民衆的願望が広範にあったことを背景としている。人々は、宣教師の指導下で集団祈禱を行い、神の臨在という神秘の体験を次々と経験し、感激と涙に震えた。信徒が一挙に増大した。こうしたリバイバルは世界的にも珍しい。朝鮮のキリスト教受容の論理には、シャーマニズム的伝統に加え、東学にも見られた一神教的天観の問題がある。しかし、日露戦争後に起きた大復興運動は、民衆の無力感を前提にしている。人々は、甲午農民戦争、日露戦争、そして義兵戦争と続く戦乱を経験し、あまりにうちひしがれていた。民衆の変革願望に実践的に応えようとする東学異端派のような勢力が、今やほとんど壊滅状態になる中で、民衆は外来の宗教に一縷の望みをかけ、神の救いの手を求めたのである。

安昌浩も安重根《アンジュングン》(第九章参照)も敬虔なクリスチャンであった。キリスト教系の私立学校は、民族運動の強力な発信地であった。統監府の私立学校に対する弾圧の動機には、ミッション・スクールへの敵意も強くあった。統監府内には一部に、外国人宣教師たちが国権回復運動を支援しているのではないかと、疑う向きがあった。

しかし、朝鮮民衆に同情する外国人宣教師たちは、統監府政治に対して必ずしも批判的ではなかった。宣教師たちは、政教分離を信条として彼岸的教会を作ろうとした。その点で、民族教会を作ろうとした朝鮮知識人たちと対立した。宣教師たちは、「文明の使徒」でもあった。

そのため、朝鮮の文明化を唱える伊藤博文の評判は必ずしも悪くなかった。伊藤は外国人を懐柔すべく、キリスト教による朝鮮人教化を奨励する発言を外国人宣教師たちにし、実際一部の教会に資金援助もしている。宣教師だけでなく外国人一般にも、伊藤の評判は必ずしも悪くはなかった。その中でベッセルの反骨精神と日本嫌いは際立っていた。

焦土化する村々と憲兵補助員制度

統監府は、軍隊解散以降、拡大する義兵活動に対しては、徹底した膺懲《ようちょう》作戦をとった。駐箚軍司令官長谷川好道は村落に連坐制を科し、義兵をかくまう村や、日本軍に非協力的な村には容赦ない虐殺・焼夷作戦を敢行した。それには当然に略奪や婦女暴行などがともなった。のちに日中戦争下で行われた三光作戦の原型である。三光作戦は東学農民軍弾圧でも原初的に見られたが、義兵弾圧では抗戦の戦意が東学農民軍をはるかに上回っていただけに、本格的に行われた。『ロンドン・デイリー・メール』特派員のマッケンジーは、軍隊解散後の義兵を訪ねて旅に出たが、そこで眼にしたのは、焦土と化した村々が連綿と続く、凄惨にして荒涼とした風景であった。日本軍は義兵から攻撃されると、その報復に近辺の村々を襲って殺戮した(渡部学訳『朝鮮の悲劇』平凡社)。

しかし、廃墟を目の当たりにした義兵の日本に対する憎悪は、かえって高まるだけであった。そこで、皇帝の詔勅を持って朝鮮人の宣諭委員や郡守などが義兵に帰順を説く帰順者政策が行われた。これは一定の効果を上げたが、この政策の背後に日本がいるのは歴然としていたため、すぐに限界にぶち当たった。

絶大な効果を発揮したのは憲兵補助員制度である。これは駐箚軍憲兵隊長明石元二郎の発案になるもので、一九〇八年六月一一日「憲兵補助員募集ニ関スル件」の公布によって始まった。いわば植民地土兵の登用であるが、地域事情に詳しく言語の壁も風貌の壁もない朝鮮人憲兵補助員は、諜報活動においてそれまでとは格段に違う成果をあげた。義兵活動は、張仁煥《チャンインファン》と田《チョン》明雲《ミョンウン》が〇八年三月二三日サンフランシスコで元韓国政府外交顧問スティーブンスを射殺したことを契機に一時高まりを見せる。しかし、憲兵補助員の登場以降、義兵活動は衰退の方向をたどっていく。

純宗の巡幸と伊藤博文

こうした中、伊藤博文は一九〇九年一〜二月に二度にわたって純宗に陪従して南北巡幸を行った。一月七〜一三日の南巡は、京釜線を利用して漢城→大邱→釜山→馬山→大邱→水原→漢城と巡幸し、一月二七日〜二月三日の西巡(北巡)は、京義線を利用して漢城→平壌→新義州《シニジュ》→義州→定州《チョンジュ》→平壌→黄州《ファンジュ》→開城→漢城と巡幸した。この巡幸の目的は、日本が韓国皇室を保護善導していることを可視化させることによって、大韓ナショナリズム＝反日意識を鎮め、ひいては義兵戦争を終息させようとするものであった。『大韓毎日申報』は一月二一日、このことを的確に批判したために記事を押収され、報道経緯を捜査された。

開城満月台での西北巡幸一行　絹傘下は韓国皇帝純宗，左に伊藤博文(統監)，李完用(韓国首相，1909.2.3)

伊藤は純宗の「太子太師」を自認し、巡幸各地で、自身の任務は韓国を「富強」にすることだとする演説を行った。しかし、各地で官製の提灯行列や万歳歓呼の奉迎行事が繰り返される一方で、この巡幸は反日運動をかえって惹起させることになった。巷間には日本が純宗を日本に連れ去っていくという噂が流布されていた。漢城では、純宗が南巡に出た日に早速二人の人物が路上で痛哭する事件が起きた。釜山では、四〇〇〇名の決死隊が組織され、六〇隻の船が純宗の乗った軍艦を包囲し、乗船していた者たちは、純宗が渡日するならば身を海中に投げると決死の覚悟を吐露した。馬山では、聴衆が激怒したために、伊藤は最後まで演説を行うことができなかった。また西巡に際しては、韓国旗と日本国旗を交掲させることになっていたが、強制的な指導があったにもかかわらず、開城や平壌をはじめ各地で拒否が相次いだ。開城では、何者かが伊藤を暗殺するために爆発物を仕掛けたという風聞さえ立った。

大韓ナショナリズムが民衆レベルにまで浸透しているのを、伊藤が過小評価していたのは明らかである。落胆した伊藤は、朝鮮統治の意欲を失い、統監辞任の意を固めていく。

憲兵補助員制度の導入によって義兵は衰退していったが、純宗巡幸を契機に活動が再び活性化していくかに見えた。しかし、一九〇九年二月二七日、李殷賛部隊は京畿道楊州で敗退し、三月三一日には李も逮捕され、のち処刑された。これ以降、義兵活動は著しく減退していく。

「南韓大討伐作戦」

そして、駐箚軍は義兵にとどめを刺そうとし、九月一日から四〇日間にわたって「南韓大討伐作戦」を展開する。これは、甲午農民戦争で東学農民軍を朝鮮半島の西南島嶼部方面に追いつめ殲滅させた作戦を踏襲したものだが、その方法は「攪拌的方法」というもので、はるかに徹底している。義兵捜索部隊を細分化し、一局地を前後左右にローラーのように何度も捜索して義兵を捕らえようとするもので、執拗をきわめた。村を包囲したうえで村長を招致尋問し、男子名簿を提出させて民籍と照らし合わせ、疑わしい者は逮捕するという方法で、峻嶺深谷に至るまでくまなく捜索が行われた。昼間に捜索しても夜に急襲し、憲兵補助員には変装隊を組織させ、徹底した捜索を行った。その結果、義兵は二〇〇〇余名が死傷し、あるいは捕虜となった。また、義兵の投降も相次いだ(朝鮮駐箚軍司令部『朝鮮暴徒討伐誌』)。

義兵活動は、これ以降も慶尚北道や黄海道などでは散発的に続き、韓国併合後もなおしばらく続いた。義兵活動の状況は、『朝鮮暴徒討伐誌』の附表では表3のようになっている。表に

表3　義兵戦争統計

年	義兵			日本軍		戦闘回数	戦闘義兵数
	殺戮	負傷	捕虜	戦死	戦傷		
1906	82		145	3	2		
1907	3,627	1,492	139	29	63	323	44,116
1908	11,562	1,719	1,417	75	170	1,451	69,832
1909	2,374	435	329	25	30	898	25,763
1910	125	54	48	4	6	147	1,891
1911	9	6	61		6	33	216
総計	17,779	3,706	2,139	136	277	2,852	141,818

出典：朝鮮駐箚軍司令部『朝鮮暴徒討伐誌』1913年

は月単位で詳しく示していないが、「南韓大討伐作戦」が行われた一九〇九年九〜一〇月の死傷者及び捕虜の数は、二七六名となっている。これはこの時期、二〇〇〇余名を死傷・捕虜・投降せしめたという本文の記述とは矛盾する。投降が圧倒的に多かったということなのかもしれないが、そのようには記されていない。通常は、投降は捕虜に含まれるはずであり、死傷者数の隠蔽が行われている可能性が高い。一九一一年までに義兵の死者一万七七七九名、負傷者三七〇六名、捕虜二一三九名であるが、実際はこれをはるかに上回る数の犠牲者があったものと思われる。負傷して、のちに命を落とした義兵は大変な数に上るはずだが、この数字には表れない。また、焦土作戦の結果殺害された一般農民が数多くいたが、その犠牲者も表3には含まれていない。義兵戦争でいったいどれほどの犠牲者が出たのか定かではないが、甲午農民戦争に匹敵する犠牲者が出た可能性が高い。

義兵戦争はまさに戦争というにふさわしい規模の戦いであった。しかし、圧倒的軍事力の差から、日本軍の犠牲者はわずかに死者一三六名、負傷者二七七名にすぎない。韓国併合は、日本がこうした絶対的格差の戦争＝植民地戦争に勝利して初めて成しとげることができたものであった。民族解放運動が正義と認識されるような第二次大戦後の時代であれば、外国からの武器援助があり、義兵戦争はより長期化したであろう。マッケンジーが出会った義兵将は、しきりに彼に武器供与を懇願したが、一介の新聞記者のマッケンジーにはどうすることもできなかった。義兵は孤立無援の状況下において、強大な日本軍に立ち向かったのである。別の若い義兵はマッケンジーに、「われわれは死ぬほかないでしょう、結構、それでいい、日本の奴隷として生きるよりは、自由な人間として死ぬ方がよっぽどいい」と語ったが、死を覚悟した義兵の悲壮な心情がひしひしと伝わってくる。

義兵か匪賊か？

追いつめられてもなお、投降せずに最後まで戦いを続けたのは、窮民や無頼の義兵である。彼らはいつしか義兵そのものを自らの職業とするようになっていた。義兵活動をするためには、富豪や地方官から資金を調達しなければならないが、孤立化した義兵の行為は、一部では今や匪賊のように認識されるようになった。民衆の間では、義賊視する向きもあったが、孤立化はやがて彼らの資金調達を暴力に駆り立てていく。

そうした人物の代表が、憲兵補助員出身の姜基東《カンギドン》である。憲兵補助員はその暴力性と親日性のために悪名が高かったが、彼らも本来は農業・商業などに携わっていた窮民であり、解散兵士や巡査なども多くいた。窮民同士が敵対を強いられるという、植民地特有の苛酷な分断工作のなせる業《わざ》であるが、姜基東は李殷賛の呼びかけに応えて義に目覚め、その部隊に入った。姜は李の死後も活動を続けたが、元憲兵補助員であることを隠さなかったために、一部の地域では憲兵補助員があたかも義賊のように風聞された。しかし、彼の活動はやがて逼塞させられていく。韓国併合後の一九一一年二月一二日、彼は変装して元山の日本料亭で遊興にふけっているところを逮捕された。自暴自棄的な最期的行為であった。憲兵隊司令官明石元二郎は大いに喜び、四月一八日、自ら立ち会って、その銃殺刑を見とどけている。

義兵戦争は、こうしてほぼ終結した。しかし朝鮮内での義兵の残兵活動は、一九一五年頃まではなお引き続いた。また、義兵の主力は鴨緑江や豆満江を渡り、韓国併合後も中国東北部や沿海州などで独立運動を続けた。柳麟錫は一九〇七年一二月、李麟栄を総大将とする一三道義兵が決起したとき、その危険性を指摘し、いち早く白頭山《ペットゥサン》を中心とした北方の国境付近で持久戦を展開すべきだという「北辺之計」を提案していた。日本はその後、長きにわたって国境外での朝鮮パルチザンの動向から目が離せなくなっていく。

第九章　韓国併合

現職陸軍大臣兼任のまま統監に就任する
寺内正毅の一行(1910. 7. 23)

1　併合の決定と安重根事件

純宗巡幸のあと、伊藤博文はすぐに漢城を出発し、日本に帰った。そして、統監辞任の意を固めた伊藤のもとに、一九〇九年四月一〇日、首相の桂太郎と外相の小村寿太郎が訪問して韓国併合案を提示すると、伊藤はあっさりと併合案を了承した。

「韓国併合方針」

伊藤は六月一四日に統監を辞任するが、日本政府ではその後を追うように、七月六日「韓国併合ニ関スル件」と対韓施設大綱を閣議決定し、「適当ノ時期」に韓国併合を行うとした。その間伊藤は、統監業務引継のため漢城に行き、自身の指揮の下、新統監曾禰荒助に法部と軍部を廃止させ、韓国の自治を完全否定した。伊藤は保護国を進めて、統監が副王となり、その下に二院制の議会と内閣を設け、植民地軍までも設けるという自治植民地を構想していたが、その構想を完全放棄したのである。

伊藤の「自治育成」政策については、政府・政治家・官僚・軍部だけでなく、一般にも批判が多かった。息子を日露戦争で戦死させた「昔の若衆神田の八五郎」と名のるある老人は、伊藤の朝鮮政策を論難して、「朝鮮はおめいさん一人の朝鮮ぢゃあねい。わっしの朝鮮だ。惣領を其為に殺したわっしの朝鮮だ。日本の朝鮮だ」と啖呵を切っている(『独立評論』一九〇六年六月)。名声を気にする伊藤は、一九〇八年末頃から統監辞任をほのめかしていたが、純宗巡幸の失敗によって、日本の朝鮮支配への合意調達が困難であると悟り、統監辞任だけでなく、併合も容認したのである。もとより、保護国であろうが、自治植民地であろうが、併合一体化であろうが、朝鮮が日本の完全植民地であることに、何ら違いはない。伊藤は、支配コストがかかることと、国際的に武断的印象を与えることを気にしていたにすぎない。

しかし、実際のところ伊藤は、「領土と人民を干戈を以て征服するも、民の心を安んぜざれば之を治むる能はず」(春畝公追頌会『伊藤博文傳』下巻)と言っておきながら、軍閥丸出しの義兵弾圧を行った。伊藤は併合案を了承した後の六月一四日に統監を辞任するが、自らの軍隊指揮の下、六月までに殺戮した義兵の数は、一万六六七七名に及んでいる。義兵戦争全体で殺害された義兵数は一万七七七九名であるから、この数字は実に九四%に相当する。曾禰荒助の治世下に行われた「南韓大討伐作戦」は、あくまでも義兵活動にとどめを刺したという以上の意味をもたない。

一進会と三派連合

併合が日程に上っていく中で、滑稽な役割を演じたのは一進会である。宋秉畯は、伊藤が信頼する李完用とそりが合わないだけでなく、一進会は李完用の不正蓄財を苦々しく思っていた。一進会には元東学徒の貧しい農民が多く、入会すれば両班や大臣になれる、大きな土地も手に入る、訴訟にも勝つことができる、というような利益誘導によって多くの会員を引きつけていた。彼らを束ねる李容九は、愛国心とは無縁で立身出世にしか関心のない宋秉畯とは違って、そうした農民的願望にも応えなければならない立場にあった。一進会会員にとって、李完用は嫉視の対象であった。

純宗巡幸後、伊藤はこうした一進会との絶縁を図る。高宗譲位の際における宋秉畯の「活躍」には伊藤も助けられたが、一進会の活動はあまりに突出していた。何よりも「韓日合邦」を声高に提唱する一進会は、事を荒立てずに保護政治を行い、さらには併合工程を射程に入れはじめた伊藤にとって邪魔になった。断髪を旨とする一進会は、各地で攻撃を受け、多くの死傷者を出していた。一進会の活動そのものが、反日運動を誘発していた。伊藤は、宋秉畯を農商工部大臣から内部大臣に昇進させて内閣に引きとめていたが、一九〇九年二月二七日、李完用との不和を理由に辞職を願い出る宋の要請を受理した。

一進会は〇六年一〇月、国家主義団体の黒龍会主幹で統監府嘱託の内田良平を顧問としてから、山県有朋・桂太郎・寺内正毅などと関係をもった。東学農民軍をそそのかそうとした元天佑俠の内田にとって、その失敗を取り返す絶好のチャンスと思われたことであろう。しかし、山県らはもとより韓国併合を意図する軍人政治家である。併合に同意した伊藤に劣らず、実は彼らにとっても一進会は、さほど利用価値があるものではなかった。併合を武断的にでも強硬に進めてもよいと考えていた彼らにとって、朝鮮人が併合を望んでいるという演出に一役買おうとする一進会は、あってもなくてもどうでもいいものであった。邪魔にならない程度にやってくれればいいというだけである。一進会は、のちに内田良平と黒龍会が己の功名を誇るために、その役割を大いに喧伝したことで、過大評価されてきたにすぎない。そもそも一進会、特に李容九は連邦的な合邦構想をもっており、朝鮮を丸呑みしようとする日本政府の考えと相容れるものではなかった。伊藤にせよ山県にせよ、日本の言いなりになる李完用を相手にする方が得策であった。

しかし、こうした思惑を知ることもなく、一進会は九月下旬、反李完用内閣という一点だけで大韓協会・西北学会と三派連合を模索した。西北学会は大韓協会に次ぐ大きな団体で、会員は四〇〇〇名強である。一進会の目論見は合邦運動に他の二派を引き入れようとするものであったが、二派の目的は保護国下で自治運動を推し進めていこうとするものであった。同床異夢であることは間もなく明らかとなる。

安重根事件

三派連合は容易に実現しなかったが、そうした中、朝鮮人も日本人も驚愕する事件が起きた。安重根による伊藤射殺である。一九〇九年一〇月二六日午前九時半頃、ロシア蔵相ココツェフとの会談に臨むべくハルビン駅プラットホームに降り立った伊藤は、安重根によって三発の弾丸を受け、間もなく絶命した。安はただちに捕捉されたが、ロシア語

安重根(1879〜1910)

で三たび「コリア、ウラー(大韓万歳)」と叫び、伊藤の死を確認すると、「天主よ、ようやく暴虐者は死にました。感謝します」とつぶやいた。

　安重根には、禹《ウ》徳淳《ドクスン》、曺道先《チョドソン》、劉《ユ》東夏《ドンハ》などの同志がおり、彼らも逮捕された。当時は、スティーブンスや「五賊」などが命を狙われ、義士がうごめく時代であった。安重根の伊藤射殺には、当時の民族運動が窒息せしめられていく状況がよく示されている。

　安重根は、一八七九年九月二日、黄海道海州で裕福な両班の長男として生まれた。父の安泰《アンテ》勲《フン》は開明派で、甲申政変以前、朴泳孝の知遇を得て日本行の機会を狙っていた人物である。その後甲午農民戦争が起きると、安父子は農民軍の弾圧に加わったが、泰勲は農民軍に同情的でもあった。ただ、重根は生涯、若年でありながら農民軍と戦った自身の勇猛さを誇っており、そこには武人的性格と愚民観が顔をのぞかせている。安重根は愛国啓蒙運動に携わり、学校を設立し、企業家も目指していた。しかし一九〇七年五、六月頃、安昌浩の演説に感銘を受け、職業的民族運動家を志し、北間島を経て沿海州に行った。そして、日露戦争以来その地で義兵活動を行っていた李範允を訪ね、その部隊の参謀中将となった。だが、義兵活動は当初は順調であったものの、やがて失敗してしまう。安重根は鬱々とした焦躁の毎日を送ったが、伊藤のハルビン来訪を聞くや、精気をよみがえらせる。

安重根は、皇帝廃位、軍隊解散、良民殺戮、利権奪取、東洋平和の攪乱など一五項目にわたる伊藤の罪を列挙しているが、それとは別に義兵を「暴徒」として無数に殺戮したことを厳しく糾弾している。伊藤射殺が「南韓大討伐作戦」直後に行われたことは象徴的である。義兵活動が、自身の活動を含め、継続困難な状況に追いつめられたとき、安重根は伊藤射殺を決意し、その方法は「暗殺」以外になかった。安重根には愚民観もあった。最後に頼れるのは、自身や一部の同志でしかない。安重根の伊藤「暗殺」には、大韓帝国の光芒が消滅する瞬間の悲劇性が最も象徴的に示されている。

しかし、「暗殺」ではあっても、これはテロとは違う。安重根は参謀中将として正規の交戦行為として伊藤を射殺したのである。戦争を集団で行うことが不能となり、それでも戦いを放棄すまいとするとき、弱小民族に残された道が「暗殺」であるのは、悲劇的現実である。安重根は法廷で、国際信義に違背している日本と一戦を交えるべく堂々と抗弁し、国際法に基づいて裁かれることを望んだ。ついにその通りにならなかったが、安重根最後のたった一人の戦争であった。

「伊藤公遭難」の報は日本人に深い悲しみをもたらした。伊藤の葬儀は国葬であった。勢い安重根への憎しみも強く、「狂人」扱いする論調が一般的であった。

日本の世論

しかし意外にも、世論が徐々に冷静さを取り戻してくると、安重根への同情も吐露するようになる。従来、日本世論が朝鮮人を蔑視する論理には、朝鮮人は利己的で愛国心がないというものがあった。利他的で愛国心に富んだ日本人の非対象にあるものとして朝鮮人を見下してきたわけである。ところが、死を覚悟して堂々と、伊藤と日本を批判する重根の態度には、並々ならぬ愛国心がほとばしり出ている。幕末に攘夷運動を経験した日本人にとって、安重根は昨日の自身の姿でもあるということになっていくのである。

そのため、韓国併合を後押しするような急進的な議論は、少なくとも中央紙などでは、大勢を占めたとはいえない。併合は、列強の承認をまず得ることが重要だという冷静な議論が目立った。一進会の合邦運動に対しても、かえって朝鮮の民心を乱すものだという議論があった。愛国心を忘却している一進会は、むしろ軽蔑の対象である。伊藤博文が併合の意を固めていた以上、安重根事件が韓国併合を早めたなどということは決してできない。安重根は一九一〇年三月二六日、雨模様の中処刑されたが、翌日『時事新報』は安重根の死に同情を寄せるかのように、「本日は天また彼の死を悼むに似たり」と伝えた。

朝鮮の世論

朝鮮では、保安法や新聞紙法のため、安重根の伊藤射殺を歓迎する記事を書くことはできなかった。しかし巷間では、祝賀や歓迎、称賛などの動きが広く見られ、官憲は神経をとがらせた。あるいは、表面的には伊藤の死に哀悼の意を示しつつ、内心では安重根の行為を快挙として称賛した。ただし、この事件によって、日本の対韓政策がより一層強硬になるのではないかという不安も広がった。

こうした中、一進会は伊藤に哀悼の意を表しつつ、他方ではこの事件を合邦運動の好機だと捉えた。すなわち、三派連合がいまだ形をなさない状況の中で、一九〇九年一二月四日、合邦の声明書を発表するとともに、皇帝に上奏文、総理李完用と統監曾禰荒助にそれぞれ請願書を提出した。

これは全くの誤算であった。このことを機に三派連合は完全に崩壊し、特に大韓協会は鋭く反発した。当局の引き締めのため、一進会攻撃の国民大会を開くのは容易ではなかったが、地方では演説会を催したり、一進会会員への脱会勧告を行うなどの事態が起きている。また、キリスト教者たちは教会を拠点に反対運動を繰り広げ、キリスト教系の学校では教員・生徒が反対運動に立ち上がった。そして李完用も、合邦企図の先手を打たれた事態への挽回から、官製の国民演説会を組織し、一進会反対運動を繰り広げた。漢城では、反対運動の受け皿がない中で、国民演説会は一定の影響力をもち、人気のない李完用は、一時的だが仮装することができた。さらに、曾禰は上奏文と李完用宛請願書を却下し、翌年二月二日には首相の桂も合邦運動を断固規制することを言明した。併合可否は、日本政府が勝手に決めるべき専権事項であり、朝鮮人は一切の関与を許さないとする厳命である。一進会の賞味期限はここで断ち切られた。

安重根の思想

一進会の合邦運動で朝鮮社会が揺れ動いているとき、安重根は獄中で静かに思索にふけっていた。彼は『東洋平和論』の構想を練っていた。しかしそれは、脱稿に至らずに序文と本文冒頭の部分を書いたところで、安重根はこの世を去った。彼の思想の一端は、獄中でしたためた「所懐」(『日本外交文書』四二-一)という短い文章によく示されている。

彼はここで、「本来文明とは東西の賢人、男女、老人、少年を論ずることなく、すべての者が天賦の性を守って道徳を尊び、互いに争いのない心をもって生活し、ともに泰平を享受することである」としたうえで、「競争の説」を唱えて「殺人機械」を作り、世界中で戦争を起こしている「上等社会の高等人物」=西欧人を批判している。当時朝鮮では、社会進化論と並んで天賦人権論も輸入されていたが、両者は矛盾なく受け入れられていた。安重根は両者の矛盾に先駆的に気づき、後者の立場から前者を批判し、「弱肉強食」的な世界の現実を批判したのである。そして、その観点から西欧文明に付き従ってアジア侵略を行う日本を批判し、その最高指導者の伊藤を東洋平和を乱す元凶として指弾した。

韓国併合後、社会進化論は克服の対象となるが、安重根の先駆性は注目される。彼は、本来「尚武」を重視する立場にあり、さほど教養ある知識人でもなく、また、最後まで敬虔なカソリック教徒であった。しかし、彼の文明論には、儒教的民本主義が顔をのぞかせており、それを受け皿に天賦人権論が捉えられている。朝鮮的政治文化は、ここでも抗日の論理を支えていた。

2　大韓帝国の滅亡

間島問題と民族運動

安重根が頼った李範允は、ロシア沿海州を根拠地にたびたび間島に出撃していた。間島は白頭山北方の旧満州南域を指す朝鮮側からの呼称であり、西間島(鴨緑江北岸部)と北間島(豆満江北岸部)からなる。一九世紀中頃より朝鮮人が多く移り住むようになった。貧農民を多数抱える一進会も、この地への進出を念願としていた。そのため伊藤と陸軍は、在住朝鮮人の保護という名目によってこの地への進出を図った。一九〇七年八月、一進会会員を含めた間島派遣隊が派遣され、同月一九日に統監府派出所が龍井村に設置された。そして、憲兵と警察を配置し、一進会会員を自治体の長に任じたり、徴税や裁判も行うなどの実効支配を敷いていった。

統監府仮設派出所

当然、清国はこれに反発した。また、満州の門戸開放を唱えるアメリカは清国に肩入れした。そして、日本は李範允らの武力抗争も鎮圧できなかった。間島問題を機に、アメリカをはじめとする列強が、心変わりして日本の朝鮮支配に口出ししてくることが最も危惧された。干渉を許さないためには、韓国を併合して日本と完全に一体化させてしまうのが得策である。伊藤の併合容認はこうした判断にも基づいていた。

実際、間島だけでなく満州全体で、今後朝鮮の民族運動が活性化する条件が整えられつつあった。韓国併合を前後する時期、間島・満州・沿海州などには三〇万ほどの朝鮮人がいた。新民会では、一九〇九年春に一部の会員を満州に移住させている。李始栄《イシヨン》六兄弟をはじめ、梁起鐸・李東寧・李相龍《イサンヨン》などであり、彼らは私財を処分して遼寧省柳河県三源堡に移住した。そして一〇年四月、在満朝鮮人を集めて耕学社を設立し、経済的に自立した民族自治機関とした。また、新興講習所を設立して教育事業も開始した。独立運動の根拠地作りであり、場所を海外に移しての実力養成運動である。

こうした問題を抱える中で、日清両国は妥協に転じた。すなわち〇九年九月四日、清国が日本の満州権益を承認する代わりに、日本が清国の間島領有権を承認するという「間島ニ関スル日清協約(間島協約)」を結んだ。間島や満州での朝鮮の民族運動は否が応にも高まっていく。

安重根の死は、大韓帝国の滅亡が目前に迫っていることを暗示させるに十分であった。民族運動家の国外脱出が始まる。申采浩や安昌浩などは、安重根処刑の翌四月には清国に亡命した。

列強の併合承認

「韓国併合ニ関スル件」で「適当ノ時期」に併合を行うとしたものの、いつが「適当ノ時期」かが問題であった。「南韓大討伐作戦」によって義兵戦争がほぼ終息した以上、いつでも併合できる条件は、朝鮮内的には整った。だが、それだけでは不安であった。朝鮮の支配権をすでに認められているとはいえ、最終的に列強の合意を取りつける必要があった。であればこそ、一進会の合邦運動も封じたのである。

日本の列強への具体的行動は、慎重に開始された。外相の小村寿太郎は一九一〇年二月、前年七月六日閣議決定の「韓国併合ニ関スル件」と対韓施設大綱を各国に通知した。そして、同盟国のイギリスに対して、六月三日関税自主権のない朝鮮における関税を当分の間現行のままとすることを条件に、併合への了承を得た。アメリカは、満州の門戸開放を訴える中で、日本への不信を深めつつあったが、満州に強固な利権をもたないアメリカは、ロシアの協力さえあれば、沈黙させることができる。問題はロシアである。ロシアは日本の間島進出に一時不信を抱いていたが、門戸開放を唱えながら、その実は満州への経済的進出を有利に図ろうとするアメリカに、より一層の不信感を抱いていた。そうした思惑が交錯する中で、七月四日、第二回日露協約が結ばれた。これは、アメリカへの対抗から第一回日露協約を強化したもので、「分界線」を境として各々に「特殊利益」を認めて干渉しないという約定である。これによって日本は、ロシアからも韓国併合への承認を正式に得た。今や韓国併合は、いつでも敢行する準備が整った。

併合準備委員会

一九一〇年五月三〇日、病弱の曾禰荒助に代わって、陸軍大将で陸相の寺内正毅が第三代統監となった。六月三日の閣議では、朝鮮には当分の間憲法を施行せず、天皇に直隷する総督が大権によって統治するとした「併合後ノ韓国ニ対スル施政方針」が決定された。新支配機構は統監府に替わって総督府と呼ばれ、寺内はその初代総督になることが決まっており、その責任において併合の実現が図られることになる。

着任に先立って寺内がまず行ったことは、併合準備委員会を設置して併合の処理方針を実務的に確定することであった。原案作成は外務省政務局長倉知鐵吉と統監府外務部長小松緑が行い、六月下旬から七月上旬にかけ、内閣書記官長柴田家門、法制局書記官中西清一など各方面から集められた実務委員が議論した。そこでは、併合後の国称、朝鮮人の国法上の地位、韓国皇室・功臣の地位、韓国の債権債務、官吏の任免、外国人の権利、外国人居留地の処分などのさまざまな処理方針が決められた。これはそのまま、七月八日、併合実行方法細目として閣議決定され、同時に国称を「朝鮮」とすることが決められた。

韓国併合条約

この併合の細目を持って寺内が着任したのは、七月二三日である。その間寺内は、六月二四日に明石元二郎の提言に基づき「韓国警察事務委託ニ関スル覚書」を韓国政府に強要し、警察権を統監府に奪い取った。そして二九日、統監府警察官署官制が公布されたが、これが悪名高い憲兵警察制度である。これは、韓国警察と韓国駐箚軍憲兵隊を一体化し、「南韓大討伐作戦」後もなお余波を引きずっている義兵活動への日常的な徹底弾圧を行うために発案された。明石は憲兵隊司令官兼統監府警察総長となった。

寺内が併合の決行に着手したのは、八月一六日である。この日寺内は李完用を官邸に呼びつけ、併合案を呑むように強要した。そして、その形式は「合意的条約」によるものでなければならないとした。保護国とは、自治あるいは独立を与える前の状態であるのだから、併合というのは、それに反する政策であり、国際的に日本の面目を保てないためである。「併合」という語からして、対等的一体化という語感をもつ「合邦」とも「合併」とも違い、しかも韓国廃滅をも婉曲に意味するとして、意図的に考案されたものであった。

もとより李完用にとって、併合は自身の内閣で行うべきものと覚悟されていたことである。

さしたる異議を差し挟むべきことではなかった。ただ、農商工部大臣の趙重応《チョジュンウン》と協議し、国称だけは「韓」をそのまま保存し、また皇族の尊称は、純宗を「昌徳宮李王殿下」、高宗を「徳寿宮李太王殿下」、皇太子を「王世子殿下」とするように求めた。寺内の提示案では、韓国帝室は日本皇族の礼遇を受けるが、純宗と高宗は「太公殿下」、皇太子は「公殿下」とされていた。寺内は首相の桂と協議の上、前者は認めなかったが、後者については認めた。「韓」名を残せば、大韓ナショナリズムを抑制できないと考えたからである。また、李完用が国称変更に抵抗してみせたのは、「朝鮮」に変更することによって、逆に韓国人諸階層の怒りが噴出するのを恐れたからである。

　こうして韓国併合は合意をみた。一八日に閣議が開かれたが、学部大臣の李《イ》容植《ヨンシク》だけは、「君辱められれば臣死す」と叫んで頑強に反対した。続いて二二日に御前会議が開かれたが、李完用は、李容植が保護条約締結時の韓圭卨のような行動をとることを恐れ、巧妙に彼だけが欠席するように仕組んだ。甲午改革の失敗後長く流配されていた金允植は、一九〇七年六月二六日にようやく配を解かれ、当時名誉職的な中枢院議長の任にあり、この大韓帝国最後の御前会議に出席した。諸大臣は生気を失っていたが、李完用の提案に対してみな無言のまま消極的承認の意を示した。金允植は一人「不可」を唱えたが、彼もこの日が遠からず来ることを知っていた。大勢に逆らうことはできなかった。「韓国皇帝陛下ハ韓国全部ニ関スル一切ノ統治権ヲ完全且永久ニ日本国皇帝陛下ニ譲与ス」とする韓国併合条約は、かくして純宗皇帝によって裁可され、調印となった。

アジアの屈辱は欧米の栄光であったが、朝鮮の屈辱は日本の栄光であった。そして、朝鮮も日本もアジアであった。ネルーは、アジア新大国の台頭による「にがい結果を、まずさいしょになめたのは、朝鮮であった」(『父が子に語る世界歴史　三』みすず書房)と語っている。韓国併合はまことに、遠からずに到来するアジア動乱の最初の烽火であった。

韓国併合の風景

「韓国併合ニ関スル条約」の公布日は一九一〇年八月二九日とされ、調印の事実は絶対秘密とされた。ただ、その間日本は各国に併合の事実を通知し、その了解を得た。また、併合断行が近づくにつれ、厳戒態勢を敷いた。二四日には「政治ニ関スル集合若ハ屋外ニ於ケル多衆集合禁止ノ件」を公布し、政治活動を厳禁した。当時朝鮮には、憲兵隊兵員が七五八二名配属されていたが、これは日本・台湾その他を含めた憲兵総数九一四四名に比して、実に八二・九％に相当する。危険分子とされた者は拘禁され、政談演説や集会は一切厳禁され、新聞雑誌の言論統制は極端に厳しく行われた。

そうした厳戒態勢は、かえって人々を不安にさせた。八月二四日には東洋拓殖株式会社出張所に落雷があり、朝鮮人八名が死亡、四名が負傷した。人々は、王朝交替の終末予言書である『鄭鑑録』に書かれていることが、とうとう訪れるのではないかと怯えた。

こうして二九日が訪れる。人々は新聞を通じて併合の事実を知った。街には憲兵と巡査が一五間ごとに配置され、人々は併合の事実を静かに受け入れるしかなかった。諦念の感情も人々の心を支配していた。併合処理方針の策定に携わった小松緑の自宅の雇傭朝鮮人は、「実は朝鮮は既に日本のものになってゐると思ってゐたがまだならなかったのか」(小松緑『朝鮮併合之裏面』)と真面目に反問したという。すでに乙巳保護条約と第三次日韓協約の締結によって、朝鮮は日本に合体したも同然であった。また、義兵活動も息の根をほとんど止められていた。民衆は暴力に翻弄され、生活はあまりの困苦に打ちひしがれていた。民衆は、自身の流転の運命に呆然とするばかりであった。韓国併合条約の締結は、朝鮮社会にとって、それまでの条約に比べれば、実はさほどショックなことではなかった。また、皇帝幻想をもっていたにせよ、生活主義に生きる民衆にとって、善政さえ敷いてくれるならば、支配者の変更を甘受することができた。民衆のナショナリズムはなお、多分に始源的であった。

厳戒態勢の中、懐柔政策も早速取られた。併合条約と同時に朝鮮貴族令が施行され、七六名の朝鮮人が貴族に列せられた。しかし、韓圭卨や兪吉濬をはじめ六名が受爵を拒否した。また、大官を歴任した金奭鎮《キムソアチン》は自決し、宮内大臣で高宗の妹婿趙鼎九《チョジョング》は二度も自殺を図った。殉国者は全国的に相次いでいる。両班儒生九八一一名には敬老金が支給され、孝子など郷村模範者には褒賞が授与された。また、大赦が行われ、不正地方官僚もその罪を許された。そして一般民衆に対しては、未納税が免除され、秋収に限って地税が五分の四に減免された。さらに、一三道には国帑金一七〇〇万円が支出され、賑恤や教育補助費などに当てられた。

こうした大盤振る舞いは、獄に入る前の御馳走のようなものであった。朝鮮民衆は、これから暗く茨のような道を歩まされるかもしれないという茫漠とした不安を抱きながら、それを打ち消すかのように「恐怖の報酬」を受け取り、一瞬の安堵の息をついた。

韓国併合と「冬の時代」

韓国併合を迎えて、日本のメディアは、礼賛、慶祝する記事で溢れかえった。韓国併合を正当化する最大の論理は、停滞論と他律性史観であった。文明化しうる内在的力をもちあわせず、つねに外勢に翻弄されてきた朝鮮は、今や保護国の地位のままにしておくわけにはいかず、致し方なく併合という手段によって日本の一員に引き上げてやるしかなくなったというのである。

そのような併合合理化の言説は、歴史学者の喜田貞吉の議論に典型的に見ることができる。併合の年、彼は『韓国の併合と国史』を著し、遠い古代に分家して貧乏暮らしをしている朝鮮を本家の日本が引き取ったのが、韓国併合だとした。停滞論と他律性史観の立場を「日鮮同祖論」によって補強しつつ併合を合理化した議論である。このような併合合理化論は当時、日本社会の隅々まで浸透しており、社会主義者にも共有されていた。片山潜らが発行していた『社会新聞』(一九一〇年九月一五日付)は、日本人の使命は数千年の間確固とした独立をなし得なか

韓国併合記念の葉書

った朝鮮人に「日本帝国臣民としての独立心」を植えつけ、「立派なる日本帝国の臣民と為すにある」とした。

韓国併合がなった一九一〇年八月二九日、東京市中には軒ごとに日の丸が翻った。日本橋界隈の商家では午後より休業するところが多くみられ、祝い酒が振る舞われた。人々は、昼間から街にくり出し、花電車が行き交って楽隊笛太鼓が鳴り響く喧噪の中で、酔いに任せて万歳を歓呼し、各所を練り歩いた。こうした慶祝風景は夜まで続き、二重橋前では宮城詣での群衆がとぎれることなく万歳の声を響かせた。

有名な話だが、韓国併合から一〇日ほどが過ぎた後、石川啄木は、「地図の上朝鮮国にくろぐろと墨をぬりつゝ秋風を聴く」と詠んだ。啄木は、確かに韓国の亡滅に同情を禁じ得なかった。しかし、彼は伊藤博文の死にも深い哀悼の意を表している。啄木も一面ナショナリストであった。彼のこの短歌は、朝鮮に同情を寄せつつ、「冬の時代」の到来を感じさせる「秋風を聴く」に重点が置かれたものである。彼の思いはあくまでも日本にあった。

一方、韓国併合条約の調印なった晩の宴席で、寺内正毅は得意満面に「小早川加藤小西が世にあらば今宵の月を如何に見るらむ」と詠んでいる。武人の寺内にとって韓国併合は、戦国の世の総決算になるはずであった豊臣秀吉の朝鮮侵略の志を受け継ぐものであり、まさに「国盗り物語」の完結にほかならなかった。司馬遼太郎は、好んで残酷きわまりない戦国時代の「国盗り物語」を痛快に明るく描いた。その勢いで、明治の近代日本にも明るく健康な青年のような姿を見出した。しかし、寺内の得意満面とした笑みに「国盗り物語」の痛快さを読み取ることが、果たしてできるであろうか。その笑みは、無念のうちに死に追いやられた無数の生霊《せいれい》の哀しみと見事なコントラストをなしている。

韓国併合の位相

併合を祝賀する東京の提灯行列(1910.8.29)

日露戦争以来、儒教的民本主義に基づく政治文化は軍事的、法規的に否定された。寺内は韓国併合以降、より急速にそうした政策を進めていく。しかし、政治文化とは長い伝統の上に築かれるものであり、従来の支配的な政治文化が短時日のうちに消え去るということは決してない。朝鮮社会とその人々は、変容を強いられつつ、韓国併合後もなお、観念のうちにも慣行のうえでもそれを頑強にもち続けていく。また、伝統的な宗教や文化一般にしても、そうたやすく消失することはない。植民地朝鮮の新たな葛藤がここに始まる。

あとがき

冒頭にも述べたように、本書は、政治文化の問題を基底にすえて概観した近代の日朝関係史である。手前味噌になるが、単に政治史や外交史を描くのではなく、政治文化に着目した点が、本書の新しさになるであろうか。

通史を書くというのは、歴史家にとって歴史観を披瀝することである。そう簡単に書くわけにはいかない。いつの間にか、近世末期頃から解放頃までの朝鮮近代史を通史的に研究するようになってはいた。通史的に研究するのは義務とも心得ていた。そのため、いずれは通史を書かなければならないと考えてはいたが、もう数年先に延ばしたいと思っていた。通史を書くように勧められたこともあったが、断ってもいた。その代わり、近代日朝関係史研究会を立ち上げ、共同研究という形で成果を出そうとした。その成果は難産の末に、『植民地朝鮮』(東京堂出版、二〇一一年)、『近代日朝関係史』(有志舎、二〇一二年)として、すでに世に問うている。

本書は、近代日朝関係史研究会の毎月の例会が終了し、執筆のみとなっていた頃に依頼を受け、決意して書くに至ったものである。研究会での刺激もあったし、何よりも新書というのは、一般読者を対象にした通史を書くには絶好の場であると考えたからである。

本来なら、『朝鮮近代史』と題して書くべきかもしれなかったが、朝鮮近代史などというのは、一国史の極みであるし、何よりも近代朝鮮の歴史は日本との関係を抜きにしては成立し得ない。『近代朝鮮と日本』と題した所以である。岩波新書の朝鮮近代通史としては、故山辺健太郎氏の『日韓併合小史』(一九六六年)と『日本統治下の朝鮮』(一九七一年)があるが、やはり朝鮮近代史とは題されなかった。

山辺氏の著書は、先駆的な近代通史というだけでなく、これからも読みつがれるべき名著である。しかし、史料引用が多く、一般には難解なところが少なくない。本書は簡明を旨としたが、簡明に書くというのは、研究者にはなかなかに難しい。本書執筆を勧めてくれた平田賢一氏には、文章の点検でずいぶん、気を使っていただいた。感謝にたえない。また、近代日朝関係史研究会のメンバーにもこの場を借りて感謝したい。

なお、山辺氏の著書が二巻で出されたように、本書には続編がある。遅々として進まないが、いずれ刊行される。今少しお待ち願いたい。

二〇一二年九月二二日

趙景達

岩波新書新赤版一〇〇〇点に際して

ひとつの時代が終わったと言われて久しい。だが、その先にいかなる時代を展望するのか、私たちはその輪郭すら描きえていない。二〇世紀から持ち越した課題の多くは、未だ解決の緒を見つけることのできないままであり、二一世紀が新たに招きよせた問題も少なくない。グローバル資本主義の浸透、憎悪の連鎖、暴力の応酬――世界は混沌として深い不安の只中にある。

現代社会においては変化が常態となり、速さと新しさに絶対的な価値が与えられた。消費社会の深化と情報技術の革命は、種々の境界を無くし、人々の生活やコミュニケーションの様式を根底から変容させてきた。ライフスタイルは多様化し、一面では個人の生き方をそれぞれが選びとる時代が始まっている。同時に、新たな格差が生まれ、様々な次元での亀裂や分断が深まっている。社会や歴史に対する意識が揺らぎ、普遍的な理念に対する根本的な懐疑や、現実を変えることへの無力感がひそかに根を張りつつある。そして生きることに誰もが困難を覚える時代が到来している。

しかし、日常生活のそれぞれの場で、自由と民主主義を獲得し実践することを通じて、私たち自身がそうした閉塞を乗り超え、希望の時代の幕開けを告げてゆくことは不可能ではあるまい。そのために、いま求められていること――それは、個と個の間で開かれた対話を積み重ねながら、人間らしく生きることの条件について一人ひとりが粘り強く思考することではないか。その営みの糧となるものが、教養に外ならないと私たちは考える。歴史とは何か、よく生きるとはいかなることか、世界そして人間はどこへ向かうべきなのか――こうした根源的な問いとの格闘が、文化と知の厚みを作り出し、個人と社会を支える基盤としての教養となった。まさにそのような教養への道案内こそ、岩波新書が創刊以来、追求してきたことである。

岩波新書は、日中戦争下の一九三八年一一月に赤版として創刊された。創刊の辞は、道義の精神に則らない日本の行動を憂慮し、批判的精神と良心的行動の欠如を戒めつつ、現代人の現代的教養を刊行の目的とする、と謳っている。以後、青版、黄版、新赤版と装いを改めながら、合計二五〇〇点余りを世に問うてきた。そして、いままた新赤版が一〇〇〇点を迎えたのを機に、人間の理性と良心への信頼を再確認し、それに裏打ちされた文化を培っていく決意を込めて、新しい装丁のもとに再出発したいと思う。一冊一冊から吹き出す新風が一人でも多くの読者の許に届くこと、そして希望ある時代への想像力を豊かにかき立てることを切に願う。

（二〇〇六年四月）

趙 景 達

1954 年 東京都生まれ
1986 年 東京都立大学大学院人文科学研究科博士課程中退．同大学人文学部助手を経て千葉大学文学部助教授・教授となり，2020 年 3 月定年退職
専攻 — 朝鮮近代史・近代日朝比較思想史
著書 —『植民地期朝鮮の知識人と民衆』(有志舎，2008 年)
『植民地朝鮮と日本』(岩波新書，2013 年)
『朝鮮の近代思想』(有志舎，2019 年)
『近代朝鮮の政治文化と民衆運動』(有志舎，2020 年)
『朝鮮民衆の社会史』(岩波新書，2024 年)
編著 —『植民地朝鮮』(東京堂出版，2011 年)
『近代日朝関係史』(有志舎，2012 年)
『儒教的政治思想・文化と東アジアの近代』(有志舎，2018 年)

近代朝鮮と日本　　岩波新書(新赤版)1397

2012 年 11 月 20 日　第 1 刷発行
2024 年 10 月 4 日　第 3 刷発行

著 者　趙《チョ》 景《キョン》 達《ダル》

発行者　坂本政謙

発行所　株式会社 岩波書店
〒101-8002 東京都千代田区一ツ橋 2-5-5
案内 03-5210-4000　営業部 03-5210-4111
https://www.iwanami.co.jp/

新書編集部 03-5210-4054
https://www.iwanami.co.jp/sin/

印刷・精興社　カバー・半七印刷　製本・中永製本

ISBN 978-4-00-431397-7　　Printed in Japan

索　引

人　名

ア　行

カ　行

サ　行

ラ 行

事　項

ア 行

カ 行

サ 行

タ 行

ナ 行

ハ 行

ラ 行

主要参考文献

概説通史という性格上，一部の史料以外は，本文ではいちいち典拠を示していないが，以下に主要な参考文献を掲げる．日本で刊行された単行書を主とし，研究論文や韓国で刊行されたものについては，膨大な数にのぼるし，一般読者の便には必ずしもならないので，最小限掲げるにとどめた．また，複数の章であげられるべき文献については，全体としては重複になるので，一つの章に掲げるに止めた．

全体を通じて

海野福寿『韓国併合』(岩波新書，1995 年)
『梶村秀樹著作集』第 1 巻〜第 3 巻(明石書店，1992〜93 年)
韓永愚(吉田光男訳)『韓国社会の歴史』(明石書店，2003 年)
木村誠ほか編『朝鮮人物事典』(大和書房，1995 年)
『姜在彦著作選』I〜V(明石書店，1996 年)
姜万吉(小川晴久訳)『韓国近代史』(高麗書林，1986 年)
田保橋潔『近代日鮮関係の研究』(朝鮮総督府中枢院，1940 年)
趙璣濬(徐龍達訳)『近代韓国経済史』(高麗書林，1981 年)
趙景達編『近代日朝関係史』(有志舎，2012 年)
朝鮮史研究会編『朝鮮史研究入門』(名古屋大学出版会，2011 年)
森山茂徳『近代日韓関係史研究』(東京大学出版会，1987 年)
森山茂徳『日韓併合』(吉川弘文館，1992 年)
山田昭次ほか『近現代史のなかの日本と朝鮮』(東京書籍，1991 年)
山辺健太郎『日韓併合小史』(岩波新書，1966 年)
国史編纂委員会『高宗時代史』1〜6(서울，1967 年)
李瑄根『韓国史　最近世編』(乙酉文化社，서울，1961 年)
李瑄根『韓国史　現代編』(乙酉文化社，서울，1963 年)
『한국사』10〜12(한길사，서울，1994 年)
『韓国現代史 9　年表로 보는 現代史』(新丘文化社，서울，1980

年)

第 1 章

池内敏『「唐人殺し」の世界』(臨川書店, 1999 年)
小川和也『牧民の思想』(平凡社, 2008 年)
趙景達『朝鮮民衆運動の展開』(岩波書店, 2002 年)
趙景達「政治文化の変容と民衆運動」(『歴史学研究』859, 2009 年)
趙景達「朝鮮の士と民」(大橋幸泰・深谷克己編『〈江戸〉の人と身分 6 身分論をひろげる』吉川弘文館, 2011 年)
趙景達・須田努編『比較史的にみた近世日本』(東京堂出版, 2011 年)
深谷克己『百姓成立』(塙書房, 1993 年)
深谷克己「東アジア法文明と教諭支配」(早稲田大学アジア地域文化エンハンシング研究センター編『アジア地域文化学の発展』雄山閣, 2006 年)
丸山眞男「開国」(『丸山眞男集』第八巻, 岩波書店, 1996 年)
宮嶋博史「東アジア小農社会の形成」(溝口雄三・宮嶋博史ほか編『アジアから考える』6, 東京大学出版会, 1994 年)
宮嶋博史『両班』(中公新書, 1995 年)
矢沢康祐「「江戸時代」における日本人の朝鮮観について」(『朝鮮史研究会論文集』6, 1969 年)
吉野誠『明治維新と征韓論』(明石書店, 2002 年)
李泰鎮(六反田豊訳)『朝鮮王朝社会と儒教』(法政大学出版局, 2000 年)
李海濬(井上和枝訳)『朝鮮村落社会史の研究』(法政大学出版局, 2006 年)
ロナルド・トビ『「鎖国」という外交』(『全集日本の歴史』9, 小学館, 2008 年)
若尾政希『「太平記読み」の時代』(平凡社, 1999 年)
한국역사연구회『1894 년 농민전쟁연구』1〜2(역사비평사, 서울, 1991〜1992 年)

韓相権『朝鮮後期社会와　訴冤制度』(一潮閣，1996 年)

第２章

井上清『新版日本の軍国主義　Ⅱ』(現代評論社，1975 年)
糟谷憲一「大院君政権の権力構造」(『東洋史研究』49，1990 年)
糟谷憲一「閔氏政権前半期の権力構造」(武田幸男編『朝鮮社会の史的展開と東アジア』山川出版社，1997 年)
田中彰『岩倉使節団』(講談社現代新書，1977 年)
中塚明『現代日本の歴史認識』(高文研，2007 年)
原田環『朝鮮の開国と近代化』(渓水社，1997 年)
毛利敏彦『明治六年政変』(中公新書，1979 年)
山田昭次「征韓論・自由民権論・文明開化」(『朝鮮史研究会論文集』7，1970 年)
연갑수『대원군집권기 부국강병정책 연구』(서울대학교출판부，2001 年)

第３章

鈴木文「第一次朝鮮修信使来日時にみる日本人の朝鮮認識と自己認識」(『朝鮮史研究会論文集』45，2007 年)
高橋秀直『日清戦争への道』(東京創元社，1995 年)
趙景達「近代日本における道義と国家」(若桑みどり・三宅明正ほか『歴史と真実』筑摩書房，1997 年)
藤間生大『壬午軍乱と近代東アジア世界の成立』(『東アジア世界の形成』3，春秋社，1987 年)
松永昌三『中江兆民評伝』(岩波書店，1993 年)
山田昭次「対朝鮮政策と条約改正問題」(『岩波講座　日本歴史』15，1976 年)
李光麟『開化党研究』(一潮閣，서울，1973 年)
李光麟『韓国開化史의　諸問題』(一潮閣，서울，1973 年)
許東賢「一八八一年　朝士魚允中의　日本　経済政策　認識」(『韓国史研究』93，서울，1996 年)

第4章
青木功一『福澤諭吉のアジア』(慶應義塾大学出版会，2011年)
岡本隆司『属国と自主のあいだ』(名古屋大学出版会，2004年)
岡本隆司『世界の中の日清韓関係史』(講談社，2008年)
琴秉洞『金玉均と日本』(緑陰書房，1991年)
趙景達「朝鮮における大国主義と小国主義の相克」(『朝鮮史研究会論文集』22，1985年)
趙景達「朝鮮近代のナショナリズムと東アジア」(『中国—社会と文化』4，1989年)
趙景達「朝鮮の国民国家構想と民本主義の伝統」(久留島浩・趙景達編『国民国家の比較史』有志舎，2010年)
茂木敏夫『変容する近代東アジアの国際秩序』(山川出版社，1997年)
山田昭次「甲申政変期の日本の思想状況」(林英夫・山田昭次編『幕藩制から近代へ』柏書房，1979年)
吉野誠「福沢諭吉の朝鮮論」(『朝鮮史研究会論文集』26，1989年)
강범석『잃어버린 혁명』(솔출판사，서울，2006年)

第5章
伊藤俊介「甲午改革と王権構想」(『歴史学研究』864，2010年)
井上勝生「東学党農民指導者と推定される頭骨について」(北海道大学文学部古河講堂「旧標本庫」人骨問題調査委員会『古河講堂「旧標本庫」人骨問題報告書』1997年)
宇野俊一『日清・日露』(『日本の歴史』26，小学館，1976年)
糟谷憲一「初期義兵運動について」(「朝鮮史研究会論文集」14，1977年)
姜孝叔「第2次東学農民戦争と日清戦争」(『歴史学研究』762，2002年)
金恩正ほか(信長正義訳)『東学農民革命100年』(つぶて書房，2007年)

金文子『朝鮮王妃殺害と日本人』(高文研, 2009 年)
沢村東平『近代朝鮮の棉作棉業』(未来社, 1985 年)
趙景達『異端の民衆反乱』(岩波書店, 1998 年)
中塚明『日清戦争の研究』(青木書店, 1968 年)
中塚明『歴史の偽造をただす』(高文研, 1997 年)
原田敬一『日清・日露戦争』(岩波新書, 2007 年)
檜山幸夫『日清戦争』(講談社, 1997 年)
朴宗根『日清戦争と朝鮮』(青木書店, 1982 年)
村上勝彦「植民地」(大石嘉一郎編『日本産業革命の研究』下, 東京大学出版会, 1975 年)
吉野誠「朝鮮開国後の穀物輸出について」(『朝鮮史研究会論文集』12, 1975 年)
吉野誠「李朝末期における米穀輸出の展開と防穀令」(『朝鮮史研究会論文集」15, 1978 年)
柳永益(秋月望・広瀬貞三訳)『日清戦争期の韓国改革運動』(法政大学出版局, 2000 年)
金洋植「高宗朝(1876〜1893)民乱研究」(『龍巌車文燮華甲紀念史学論叢』新書苑, 1989 年)
張泳敏「朝鮮末農業賃金労働研究試論」(『清渓史学』二, 서울, 1985 年)
한국역사연구회『1894 년 농민전쟁연구』3〜5(역사비평사, 서울, 1993, 1995, 1997 年)

第6章

奥村周司「李朝高宗の即位について」(『朝鮮史研究会論文集 33, 1995 年)
須川英徳『李朝商業政策史研究』(東京大学出版会, 1994 年)
趙景達「危機に立つ大韓帝国」(『岩波講座　東アジア近現代通史』第 2 巻, 2010 年)
月脚達彦『朝鮮開化思想とナショナリズム』(東京大学出版会, 2009 年)

都冕會「自主的近代と植民地的近代」(宮嶋博史ほか編『植民地近代の視座』岩波書店，2004年)
宮嶋博史『朝鮮土地調査事業史の研究』(東京大学東洋文化研究所，1991年)
和田春樹『日露戦争　上・下』(岩波書店，2009〜10年)
教授新聞『고종황제 역사 청문회』(푸른역사，서울，2005年)
愼鏞廈『独立協会研究』(一潮閣，서울，1976年)
徐英姫『대한제국정치사연구』(서울대학교출판사，2003年)
鄭昌烈「韓末変革運動의　政治・経済的性格」(宋建鎬・姜萬吉編『韓国民族主義論Ⅰ』創作과批評社，서울，1982年)
한림대학교 한국학연구소『대한제국은 근대국가인가』(푸른역사，서울，2006年)

第7章

井口和紀『日露戦争の時代』(吉川弘文館，1998年)
江口朴郎『帝国主義の時代』(岩波書店，1969年)
大江志乃夫『日露戦争の軍事史的研究』(岩波書店，1976年)
君島和彦「日露戦争下朝鮮における土地略奪計画とその反対闘争」(旗田巍先生古稀記念会編『朝鮮歴史論集』下巻，龍溪書舍，1979年)
金東明「一進会と日本」(『朝鮮史研究会論文集』31，1993年)
多胡圭一「朝鮮植民地支配における軍事的性格」(日本近代法制史研究会編『日本近代国家の法構造』木鐸社，1983年)
趙景達「道義は実現されうるか」(林哲ほか編『二〇世紀を生きた朝鮮人』大和書房，1998年)
趙景達「日露戦争と朝鮮」(安田浩・趙景達編『戦争の時代と社会』青木書店，2005年)
鄭在貞(三橋広夫訳)『帝国日本の植民地支配と韓国鉄道』(明石書店，2008年)
古屋哲夫『日露戦争』(中公新書，1966年)
林雄介「日露戦争と朝鮮社会」(東アジア近代史学会編『日露戦争

と東アジア世界』ゆまに書房，2008年)
鄭昌烈「露日戦争에 대한 韓国人의 対応」(歴史学会編『露日戦争前後 日本의 韓国侵略』(一潮閣，서울，1986年)

第8章

浅田喬二『日本帝国主義と旧植民地地主制』(御茶ノ水書房，1968年)
池川英勝「大垣丈夫の研究」(『朝鮮学報』119・120，1986年)
海野福寿編『日韓協約と韓国併合』(明石書店，1995年)
笹川紀勝・李泰鎮編著『国際共同研究 韓国併合と現代』(明石書店，2008年)
愼蒼宇「抗日義兵闘争と膺懲的討伐」(田中利幸編『戦争犯罪の構造』大月書店，2007年)
愼蒼宇『植民地朝鮮の警察と民衆世界』(有志舎，2008年)
愼蒼宇「韓国軍人の抗日蜂起と「韓国併合」」(『思想』1029，2010年)
愼蒼宇「植民地戦争としての義兵戦争」(『岩波講座 東アジア近現代通史』第2巻，2010年)
鈴木敬夫『朝鮮植民地統治法の研究』(北海道大学図書刊行会，1989年)
趙景達「朝鮮における日本帝国主義批判の論理の形成」(『史潮』25，1989年)
趙景達「朝鮮近代のナショナリズムと文明」(『思想』808，1991年)
趙景達「金玉均から申采浩へ」(歴史学研究会編『講座世界史』7，東京大学出版会，1996年)
鄭晋錫(李相哲訳)『大韓帝国の新聞を巡る日英紛争』(晃洋書房，2008年)
広瀬貞三「李容翊の政治活動(1904～07年)」(『朝鮮史研究会論文集』25，1988年)
閔庚培(金忠一訳)『韓国キリスト教会史』(新教出版社，1981年)

朴慶植『日本帝国主義の朝鮮支配　上』(青木書店，1973 年)
松田利彦『日本の朝鮮植民地支配と警察』(校倉書房，2009 年)
森山浩二「朝鮮近代におけるキリスト教受容についての一考察」(『朝鮮史研究会論文集』19，1982 年)
李升熙『韓国併合と日本軍憲兵隊』(新泉社，2008 年)
金度亨『大韓帝国期의 政治思想研究』(지식산업사，1994 年)
朴成寿「1907〜10 年間의 義兵戦争에 対하여」(『韓国史研究』1，1968 年)
박찬승『한국근대 정치사상사연구』(역사비평사，1992 年)

第 9 章

海野福寿『韓国併合史の研究』(岩波書店，2000 年)
小川原宏幸『伊藤博文の韓国併合構想と朝鮮社会』(岩波書店，2010 年)
韓相一・韓程善(神谷丹路訳)『漫画に描かれた日本帝国』(明石書店，2010 年)
姜東鎮『日本言論界と朝鮮』(法政大学出版局，1984 年)
桜井良樹「日韓合邦建議と日本政府の対応」(『麗澤大学紀陽』55，1992 年)
新城道彦『天皇の韓国併合』(法政大学出版局，2011 年)
趙景達「安重根」(『歴史評論』469，1989 年)
西尾陽太郎『李容九小伝』(葦書房，1978 年)
野村美和「新聞における朝鮮蔑視観の展開」(『学術論文集』27，朝鮮奨学会，2009 年)
平田賢一「「朝鮮併合」と日本の世論」(『史林』57-3，1974 年)
松田利彦「伊藤博文暗殺事件の波紋」(伊藤之雄・李盛煥編著『伊藤博文と韓国統治』ミネルヴァ書房，2009 年)
安田常雄・趙景達『近代日本のなかの「韓国併合」』(東京堂出版，2010 年)

略年表

1860	5 崔済愚，東学を創建.
1862	2 南朝鮮一帯に民乱発生する(壬戌民乱).
1864	1 高宗即位. 父・興宣大院君の執政始まる.
1865	5 景福宮の建造開始.
1866	2 大院君，フランス人宣教師を処刑し，天主教徒を迫害する. 9 アメリカ船シャーマン号を焼討ち(シャーマン号事件). 10 フランス艦隊，江華島を攻撃し激戦となる(丙寅洋擾).
1868	1 日本，王政復古の大号令. 5 ドイツ商人オッペルト，大院君の父南延君の墓を破壊.
1869	1 朝鮮，日本から書契を受理拒否.
1871	5 大院君，全国の書院を整理. 6 米艦隊，江華島に侵入し激戦となる(辛未洋擾).
1873	10 日本政府内に征韓論争が起こり西郷隆盛ら下野. 12 大院君が失脚し，閔氏政権が成立する.
1875	9 日本の軍艦雲揚号，江華島を侵犯(江華島事件).
1876	2 日朝修好条規(江華島条約)締結.
1880	7 朝鮮政府，日本に修信使を派遣.
1881	5 朝鮮，日本に朝士視察団(紳士遊覧団)を派遣.
1882	7 漢城で反閔氏・反日の軍隊反乱(壬午軍乱). 8 済物浦条約調印. 日朝修好条規続約調印. 10 朝鮮・清国間に商民水陸貿易章程成立.
1884	12 金玉均ら急進開化派，漢城でクーデターを起こす(甲申政変).
1885	1 漢城条約調印. 4 イギリス，巨文島を軍事占領. 日清間で天津条約調印. 11 大井憲太郎らの大阪事件発覚.
1889	11 日本，朝鮮に防穀令(穀物輸出禁止)の撤廃を要求.
1890	3 山県有朋，閣僚に「外交政略論」を提出.
1892	11～12 東学教徒，教祖崔済愚の伸冤を訴える集会を公州と参礼で開催.
1893	3 東学徒，漢城で伏閤上疏する一方で，掛書事件(～4)を起こす. 4～5 東学徒，報恩と金溝で大規模集会.
1894	2 全琫準，全羅道古阜で蜂起(甲午農民戦争). 4 東学徒，茂長で第一次蜂起. 6 朝鮮政府，清に援兵を要請. 清国，日本に朝鮮派兵を通告，日本も清国に朝鮮派兵を通告. 官軍，東

	学農民軍の弊政改革案を受理(全州和約). 7 日本軍, 景福宮を軍事占領. 開化派政権成立. 日清戦争勃発. 10 東学農民軍, 第二次の蜂起を行う.
1895	4 日清講和条約(下関条約)締結. 三国干渉. 10 駐朝日本公使三浦梧楼, 壮士らに命じて閔妃を殺害. 12 断髪令公布.
1896	1 第一次の義兵運動始まる. 2 高宗, ロシア公使館に移る(露館播遷). 4 徐載弼『独立新聞』創刊. 7 独立協会設立.
1897	10 国号を「大韓帝国」と改め高宗が皇帝に即位.
1898	2 済州島で房星七の反乱. 3 独立協会, 万民共同会を開催し反露運動を展開. 7 量田地契事業開始. 10 独立協会, 官民共同会を開催し政府に献議六条を認めさせる. 11 独立協会と皇国協会が市街戦. 12 高宗, 独立協会の解散を命令.
1899	8 大韓国国制公布. 5 全羅道北部地方で英学の反乱が起こる.
1901	5 済州島で李在守の反乱.
1902	1 日英同盟締結.
1904	1 韓国政府, 局外中立を宣言. 2 日本, 朝鮮の鎮海湾と釜山・馬山の電信局を軍事占領. 日露戦争始まる. 日本, 日韓議定書を強要. 8 日本, 第一次日韓協約を強要.
1905	7 目賀田種太郎, 貨幣整理を断行. 桂＝タフト協定. 8 日英同盟改定. 9 ポーツマス条約締結. 11 日本, 第二次日韓協約(乙巳保護条約)を強要. 皇城新聞社長張志淵「今日也放声大哭」の論説を発表. 閔泳煥自決. 12 趙秉世自決.
1906	2 統監府設置. 3 統監伊藤博文着任. 4 大韓自強会設立. 5 閔宗植, 忠清南道で義兵を起こすも逮捕される. 6 崔益鉉, 全羅北道で義兵を起こすも逮捕される.
1907	1 国債報償運動が展開される. 4 新民会結成. 6 高宗, ハーグ万国平和会議に密使を派遣(ハーグ密使事件). 7 高宗が退位して純宗即位. 第三次日韓協約(丁未七条約)締結. 韓国軍解散. 以降, 反日義兵運動が激化し, 義兵戦争化する. 12 一三道倡義軍一万名, 李麟栄を総大将に楊州に集結.
1908	3 張仁煥と田明雲, サンフランシスコで元韓国政府外交顧問スティーブンスを射殺. 12 東洋拓殖株式会社設立.
1909	1〜2 純宗, 伊藤博文とともに巡幸. 9〜10 全羅南北道で「南韓大討伐作戦」. 10 安重根, 伊藤博文を射殺.
1910	3 安重根, 旅順監獄で処刑される. 6 憲兵警察制度を施行. 8 韓国併合条約. 朝鮮総督府を設置. 初代総督は寺内正毅.